하루에 하나씩
읽는 민법조문
물권(VI))

하루에 하나씩 읽는 민법조문 물권(VI))

초판 _ 2024년 3월 2일

지은이 _ 김민석

디자인 _ **enbergen3@gmail.com**

펴낸이 _ 한건희

펴낸곳 _ 부크크

출판등록 _ 2014.07.15.(제2014-16호)

주소 _ 서울특별시 금천구 가산디지털1로 119 SK트윈타워 A동 305호

전화 _ 1670-8316

이메일 _ **info@bookk.co.kr**

홈페이지 _ **www.bookk.co.kr**

ISBN _ 979-11-410-7382-4

값은 표지에 있습니다.

하루에 하나씩 읽는 민법조문 물권(Ⅵ)

Contents

Intro

머리말

청룡의 해가 밝았습니다.
지난해「하루에 하나씩 읽는 민법조문」 민법총칙 편의 개정판을 작업한데 이어 올해 물권편도 개정판을 내게 되었습니다.
이번 개정판에서는 그간 아쉬웠던 부분들을 보강하고자 신경썼습니다. 먼저 가독성을 높이기 위해 원고를 대폭 편집했습니다. 디자인도 보다 깔끔하게 변경하였습니다. 불필요하다고 생각되는 설명은 삭제하였습니다. 반면 설명이 필요는 하지만, 본서의 기준으로 보았을 때 다소 복잡한 내용에 관해서는 별도로 〈심화학습〉 코너를 두어 다루었습니다. 무엇보다 독자들에게 오해를 불러일으킬 수 있었던 애매한 표현과 부적절한 설명을 여럿 수정하였습니다. 이 과정에서 책의 분량은 약간 증가하게 되었습니다만, 이전 원고보다 조금이라도 나아진 부분이 있다면 이것은 독자들이 양해하여 주지 않을까 하는 기대를 걸어 봅니다.
책이 나오기까지 우여곡절이 있었습니다. 많은 분들의 지원과 애정이 없었다면 이 작업은 끝내기 어려웠을 것입니다. 무엇보다 항상 곁에서 응원을 아끼지 않았던 아내와 가족에게 감사한 마음뿐입니다.
이 책이 누군가에게 좋은 기억으로 남기를 기원하며 말을 맺습니다.

2024년 2월 김민석 올림.

“하루에 하나씩 읽는
민법조문 물권편,
시작합니다.”

Part 8.

제2장, 권리질권

第345조(권리질권의 목적)

질권은 재산권을 그 목적으로 할 수 있다. 그러나 부동산의 사용, 수익을 목적으로 하는 권리는 그러하지 아니하다.

오늘부터 제8장 [질권]의 두 번째 파트, 제2절 [권리질권]에 대해 공부하도록 하겠습니다. 우리가 어제까지 공부한 동산질권은 제법 이해하기가 편했습니다. 눈에 보이는 유체물, 동산에 질권을 설정한다는 개념이 현실적으로 와 닿거든요. 하지만 권리질권의 경우는 조금 더 난해합니다.

권리질권이란, 질권은 질권인데 '물건이 아닌 권리'(재산권)을 목적으로 하는 질권을 말합니다. 눈에 보이는 유체물이 아니라, 어떤 권리에 질권을 설정하고, 담보로 한다는 말입니다.

전에 [총칙] 파트에서 다루긴 했지만 복습 차원에서 다시 살펴보면, '재산권'이란 사법상, 공법상으로 경제적 가치가 있는 권리를 의미하는 것으로, 우리 헌법재판소는 "헌법 제23조제1항의 재산권보장에 의하여 보호되는 재산권은 사적유용성 및 그에 대한 원칙적 처분권을 내포하는 재산가치 있는 구체적 권리이다. 그러므로 구체적인 권리가 아닌, 단순한 이익이나 재화의 획득에 관한 기회 등은 재산권보장의 대상이 아니다."라고 판시하고 있습니다(헌법재판소 1996. 8. 29. 선고 95헌바36 전원재판부).

그리고 우리 민법은 재산권의 대표적인 사례인 물권과 채권을 나누어 규정하고 있고요, 재산권에는 해당되지만, 민법에서 명시적으로 규정하고 있지 않은 권리로 지식재산권이 있습니다.

그런데 이 수많은 재산권이 모두 권리질권의 목적이 될 수 있을까요? 그것도 아닙니다. 일단, 제345조 단서는 부동산의 사용, 수익을 목적으로 하는 권리는 안된다고 하고 있습니다. 이게 왜 안 되는지는 곧 논의해 보기로 할게요.

그리고 우리의 학설은, 제345조 단서에서 규정한 권리 외에도 질권의 목적이 될 수 없는 권리가 있다고 봅니다. 지금부터 하나씩 권리들을 살펴보면서 질권 설정이 가능한지, 아닌지 알아보도록 합시다.

1. 소유권?

먼저 가장 익숙한 물권 중 하나인 소유권입니다. 이건 권리질권의 목적이 될 수 있을까요? 결론부터 말하면 안 됩니다.

제345조 단서는 비록 부동산의 사용, 수익에 관한 권리만을 언급하고 있고, 소유권 중에서도 동산 소유권의 경우는 제345조 단서와는 무관해 보이긴 합니다.

그러나 논리상, 동산소유권은 우리가 앞서 공부한 동산질권의 목

적이 된다고 할 수 있습니다. 물건을 목적으로 하는 동산질권은 사실 물건의 소유권을 목적으로 하는 것과 같습니다(김준호, 2017). 그래서 동산질권에서 이미 목적으로 하고 있으므로 권리질권에서는 목적으로 할 수 없습니다.

2. 지상권, 지역권, 전세권, (부동산)임차권?

대략 감이 오시겠지만 안됩니다. 왜냐, 제345조 단서에 명확하게 해당하는 것이 바로 이 권리들이기 때문입니다.

간단히 복습해 볼까요? 지상권은 남이 소유한 토지에 건물 기타 공작물 또는 수목을 소유하기 위하여 땅을 사용하는 권리이고요, 지역권은 남의 땅(승역지)을 자신의 땅(요역지)의 편익에 이용하는 용익물권입니다. 전세권과 임차권 역시 돈을 내고 부동산을 빌려서 쓰는 것이니까 사용, 수익할 수 있는 권리라고 할 수 있습니다. 모두 부동산의 사용, 수익을 목적으로 하는 권리이지요. 이런 권리들은 권리질권의 목적이 될 수 없습니다.

그런데 왜 하필 이런 단서 규정을 두고 있느냐 하면, 우리 민법은 동산질권을 인정하고, 부동산질권을 인정하지는 않고 있기 때문입니다. 또한, 지상권이나 전세권 같은 경우에는 아예 민법 제371조에서 별도로 저당권의 목적이 된다고 정해 두고 있기 때문에, 저당권 외에 굳이 또 담보물권으로 질권도 설정할 수 있다고 규정할 필요가 별로 없습니다.

제371조(지상권, 전세권을 목적으로 하는 저당권) ①본장의 규정은 지상권 또는 전세권을 저당권의 목적으로 한 경우에 준용한다.
②지상권 또는 전세권을 목적으로 저당권을 설정한 자는 저당권자의 동의없이 지상권 또는 전세권을 소멸하게 하는 행위를 하지 못한다.

3. 채권? 양도성 있는 채권? 양도성 없는 채권?

채권도 재산권에 해당하고, 원칙적으로 질권의 대상이 될 수 있습니다. 그러나, 우리가 주의하여야 할 것이 있습니다. 모든 채권이 다 권리질권의 목적이 될 수 있는 것은 아니라는 점입니다. 이미 공부했던 제331조를 떠올려 보십시오. 제331조에서는, 질권은 양도성 있는 물건을 목적으로 하여야 한다고 규정하고 있습니다. 따라서 채권이라도 '양도성 없는 채권'은 권리질권의 목적이 되지 못합니다.

제331조(질권의 목적물) 질권은 양도할 수 없는 물건을 목적으로 하지 못한다.

"제331조는 물건에 대한 규정이고, 또 [동산질권] 편에 있는 내용이니까 권리질권과는 상관없지 않나요?"

이렇게 생각하실 수 있습니다. 예리한 질문입니다만 나중에 가서 공부할 제355조에서는 동산질권에 관한 규정을 권리질권에 준용하도록 하고 있기에 제331조 역시 권리질권에 준용된다고 보는 것이 옳습니다. 표현을 바꿔 보면, "권리질권은 양도할 수 없는 재산권을 목적으로 하지 못한다."라고 할 것입니다. 일단은 질권을 설정했으면, 나중에 채무자가 빚을 안 갚을 때 절차를 밟아서 '환가'해야 하는데, 양도성이 없으면 환가가 어려우니 논리상 양도성 없는 것에는 질권 설정이 어려울 겁니다(송덕수, 2019).

제355조(준용규정) 권리질권에는 본절의 규정외에 동산질권에 관한 규정을 준용한다.

그렇다면 양도성이 없는 채권이란 어떤 것이 있을까요? 크게 아래의 3가지가 있다고 합니다(이태종, 2011).

①채권의 성질상 양도성이 없는 채권

특정한 사람을 가르치도록 하는 채권이나 특정한 사람을 부양하게 하는 채권과 같이, 채권자가 바뀌면 내용이 완전히 달라지는 채권은 그 성질상 양도가 어렵다고 할 것입니다.

②당사자 간의 약정에 의하여 양도성을 잃어버린 채권

채권은 당사자 간의 합의에 따라서 양도가 불가능한 것으로 약정할 수 있습니다. 계약서에 채권 양도가 안된다는 내용을 써넣으면 됩니다. 나중에 공부하겠지만, 우리 민법 제449조는 채권은 원칙적으로 양도할 수 있지만, 채권의 성질상 안 되거나(제1항), 당사자가 의사표시를 한 경우(제2항)에는 안된다고 정하고 있습니다. 참고하세요.

> 제449조(채권의 양도성) ①채권은 양도할 수 있다. 그러나 채권의 성질이 양도를 허용하지 아니하는 때에는 그러하지 아니하다.
> ②채권은 당사자가 반대의 의사를 표시한 경우에는 양도하지 못한다. 그러나 그 의사표시로써 선의의 제삼자에게 대항하지 못한다.

③법률의 규정에 의하여 양도성이 없거나 담보제공이 제한되는 채권

예를 들어, 우리의 「국민연금법」에서는 국민연금 급여를 받을 수 있는 권리(수급권)는 다른 사람에게 팔아넘기거나 담보로 내놓을 수 없다고 제한하고 있습니다(국민연금법 제58조).

이런 규정을 두고 있는 이유는 뭘까요? 왜냐하면, 연금이라는 것은 인간 생계의 가장 기본적인 부분이 될 수 있는 것이기 때문입니다. 그런 권리를 마음대로 팔아 버리게 하거나 압류하게 내버려 두는 것은 너무 잔인한 일이 될 수 있는 것이지요.

극단적이기는 하지만 수입이 오직 약간의 연금밖에 없는 노인이 있다고 생각해 보면, 그 사람이 조금 사정이 궁해졌다고 해서 연금 수급권을 팔아버리는 경우 그 삶이 앞으로 얼마나 험난해질지 예상

할 수 있습니다. 결국 일종의 정책적 배려인 셈입니다.

> 국민연금법
> 제58조(수급권 보호) ① 수급권은 양도·압류하거나 담보로 제공할 수 없다.

4. 그밖에 질권 설정이 제한되는 권리

그 외에도 광업권, 어업권 같은 권리(일단, 이 권리들도 물권에 해당하기는 합니다)의 경우, 「광업법」, 「어업법」 등에서 양도, 상속 등의 사유 외에는 권리의 목적으로 할 수 없다고 아예 못 박아 두고 있습니다. 하지 말라고 하니까 하지 말아야겠지요.

광업이나 어업에 이런 특별한 규정을 두는 것은 나름대로의 이유가 있는데, 이러한 권리는 부동산은 아니지만 부동산에 준하는 것으로 처리하고 있기 때문입니다. 여기서는 분량상 상세한 설명은 생략하고 넘어가도록 하고, 따로 검색해 보시기를 추천드립니다.

> 광업법
> 제11조(광업권의 처분 제한) ① 탐사권은 상속, 양도, 체납처분 또는 강제집행의 경우 외에는 권리의 목적으로 하거나 타인이 행사하게 할 수 없다.
> ② 채굴권은 상속, 양도, 조광권·저당권의 설정, 체납처분 또는 강제집행의 경우 외에는 권리의 목적으로 하거나 타인이 행사하게 할 수 없다.

오늘은 권리질권의 개념과, 권리질권의 목적이 될 수 있는 권리에는 어떤 것들이 있을지 알아보았습니다. 정리하자면, 권리질권의 목적이 되는 권리는 재산권이면서 양도성과 환가성을 가져야 할 것입니다. 재산권이 아닌 것(비재산권)은 안 되고, 양도가 가능하며, 또 금전적으로 가치를 평가하여 환가할 수 있어야 한다는 것이지요(이태종, 2019).

내일은 권리질권의 설정 방법에 대해 공부하도록 하겠습니다.

*참고문헌

김용담 편집대표, 「주석민법 물권3(제4판)」, 한국사법행정학회, 2011, 559-560면(이태종).

김용덕 편집대표, 「주석민법 물권3(제5판)」, 한국사법행정학회, 2019, 653면(이태종).

김준호, 「민법강의(제23판)」, 법문사, 2017, 837면.

송덕수, 「물권법(제4판)」, 박영사, 2019, 480-481면.

第346조(권리질권의 설정방법)

권리질권의 설정은 법률에 다른 규정이 없으면 그 권리의 양도에 관한 방법에 의하여야 한다.

동산질권의 경우, 앞서 공부한 바와 같이 어차피 동산물권의 변동이므로, 제188조에 따라 인도의 공시방법을 취하면 됩니다. 하지만 동산질권과 다르게 권리질권은 그 목적이 유체물이 아닌 '권리'이기 때문에 조금 다른 공시방법을 취하고 있는데요, 제346조는 그것을 "그 권리의 양도에 관한 방법에 의하여야 한다"라고 표현하고 있습니다.

'그 권리의 양도에 관한 방법'은 뭘까요? 이런 표현을 두고 있는 이유는, 인도의 방법을 쓰면 되는 동산에 비하여 권리질권이 목적으로 하는 권리는 그 형태가 다양하기 때문입니다. 권리질권의 목적이 될 수 있는 권리를 유형화해서, 과연 그 권리의 양도에 관한 방법이 무엇인지 살펴보도록 합시다.

1. 채권

대표적인 권리의 한 종류입니다. 전에 물권과 채권에 대해 간략히 공부한 적이 있었죠? 채권이란, 특정인(채권자)이 다른 특정인(채무자)에 대하여 일정한 행위(급부, 이행행위라고 표현하기도 함)를 요

구할 수 있는 권리를 말합니다. 당연히 재산권의 일종이고, 물건을 직접 지배할 수 있는 권리인 물권과는 다르게 상대방에게 어떤 행위를 요구할 수 있는 권리이므로 청구권의 성질을 갖습니다(송덕수, 2020).

철수가 영희에게 100만원을 빌려주었다면, 철수는 영희에 대한 금전채권을 가지고 있는 것입니다. 채권자인 것이지요. 그리고 철수가 가진 100만원의 금전채권은 재산권의 일종으로, 철수는 그 '채권'을 담보로 해서 나부자로부터 돈을 빌릴 수 있는 것입니다. 이렇게 되면 철수(영희에 대한 채권자이자 나부자에 대한 채무자, 질권설정자)-영희(철수에 대한 채무자)-나부자(철수에 대한 채권자, 질권자)로 이어지는 3각 관계가 완성됩니다. 이것이 바로 채권질권으로, 권리질권 중에서 자주 사용되는 유형 중 하나입니다. 물론, 우리가 지금까지 공부한 바에 다르면 채권 중에서도 양도성이 있는 채권이 질권의 목적이 될 수 있겠지요.

그렇다면 채권질권의 경우, 제346조에 따라 채권의 양도에 관한 방법에 의하여 설정되어야 할 것입니다. 그 구체적인 방법은 어떤 채권이냐에 따라 또 다른데, 예를 들어 저당권부 채권은 제348조, 지명채권은 제349조, 지시채권은 제350조, 무기명채권의 경우 제351조 등 여러 조문에서 나누어 규정하고 있습니다.

각각의 해당 조문에서 구체적으로 살펴볼 것이니 지금은 일단 넘어가도록 하겠습니다. 어쨌든 채권질권이 어떤 것인지 이해하는 정

도면 충분합니다.

2. 주식

주식에 대해서는 많이들 들어 보셨을 겁니다. 우리가 일상에서 주식투자라고 할 때 그 주식, 맞습니다. 주식회사는 위에 말씀드린 사채를 통해서 자금을 조달하기도 하지만, 주식을 발행해서 자금을 조달할 수도 있습니다.

많이들 아시다시피, 주식을 사게 되면 소유자가 주주가 되어 그 회사의 지분을 갖고, 배당을 받기도 합니다. 비교하자면, 일반적인 채권의 경우 매입한다고 해서 주주가 되는 것은 아니고, 단지 채권자이기 때문에 회사의 경영에 참여한다든가 하는 것은 불가능합니다.

주식은 경우에 따라 부동산 못지않은 강력한 재산권이 됩니다. 국내 대기업의 주식 몇 만주를 갖고 있는 사람이라면, 굉장한 부자라고 할 수 있겠지요. 따라서 주식에 질권을 설정해서 돈을 빌리는 것도 얼마든지 가능한 것입니다.

그런데 우리 민법은 주식에 질권을 설정하는 방법에 대해서 별다른 언급이 없고, 대신 「상법」에서 이를 상세하게 규정하고 있습니다.

상법

제338조(주식의 입질) ①주식을 질권의 목적으로 하는 때에는 주권을 질권자에게 교부하여야 한다.
②질권자는 계속하여 주권을 점유하지 아니하면 그 질권으로써 제삼자에게 대항하지 못한다.

*다만, 주식 중에서도 주주명부나 주권에도 주주의 이름이 공시되지 아니한 주식이 있는데, 이를 무기명주식이라 하여 과거에는 「상법」에서 따로 규율하고 있었습니다만, 2014년 무기명주식 규정을 삭제하면서 「상법」에서의 주식은 기명주식을 의미하게 되었습니다. 참고로만 알아두시고, 자세한 내용은 상법 교과서를 참조하여 주시기 바랍니다.

따라서 (기명)주식에 질권을 설정할 때에는, 「상법」에 따라 주권을 질권자에게 교부하여야 하는 것입니다. 민법 제346조와 상법 제338조를 동시에 해석한 결과입니다.

3. 사채

여기서 흠칫하시는 분들이 있을 겁니다. “아니, 어떻게 사채를 쓸 생각을 하지?” 이렇게 생각하실 수도 있겠지만, 여기서 말하는 사채는 드라마에 나오는 사채업자로부터 빌려 쓴 돈이 아니라, 사채(社債), 즉 회사(社)에서 발행한 채권을 뜻합니다. 아침드라마에 나오는 사채는 개인에게 빌린다고 해서 사채(私債)의 한자를 씁니다.

회사도 사람처럼 돈이 필요하거나 궁할 때가 있습니다. 이런 경우 회사도 누군가로부터 돈을 빌리고 채권을 발행하게 됩니다. 결국 이것도 채권의 일종이라고 하겠습니다. 그런데 굳이 앞의 채권과 구별해서 따로 유형화를 하는 이유는, 사채는 민법뿐 아니라 「상법」에 의하여 규율되는 부분도 있기 때문입니다. 여기서 「상법」의 쟁점을 자세히 설명하는 것은 어려우므로, 간단하게만 소개하고 넘어가도록 하겠습니다.

사채의 경우 채권에 권리자의 성명이 기재되어 있는 경우가 있는데, 이를 '기명' 사채라고 하고, 이름이 적혀 있지 않은 '무기명' 사채와는 구별합니다. 기명사채의 경우 그 법적인 성질은 지명채권의 일종이라고 봅니다(지명채권에 대해서는 곧 살펴볼 예정입니다).

「상법」에는 기명사채의 입질에 대하여 별도로 규정하고 있는 게 없어서 민법에 따르면 되기는 합니다. 그러나 입질의 대항요건에 대해서는 상법에 별도로 규정이 있어서 학설의 논란이 좀 있는데(김성태, 2007), 이 부분은 우리가 나중에 공부할 민법 제349조와도 관련 있는 파트입니다. 일단은 이쯤 하고 넘어가도록 하겠습니다.

4. 지식재산권

지식재산권에 대해서는 예전에 우리가 재산권에 대해 공부하면서 살펴본 바 있었습니다. 바로 물권편에서 준점유(제210조)를 공부하였을 때입니다. 기억이 잘 안 나는 분들은 복습하고 오셔도 좋겠습니다. 형체가 없는 재산권이라고 해서 흔히 '무체재산권'으로 표기하기도 합니다.

대표적으로 지식재산권에는 특허권, 실용신안권, 저작권, 상표권 같은 것들이 있을 텐데요, 이런 권리에 대해서도 질권을 설정할 수 있습니다. 이런 경우 질권의 설정방법은 역시나 제346조에 말하는 것처럼 해당 권리의 양도에 관한 방법에 따르면 됩니다.

예를 들어, 특허권의 경우에는 따로 「특허법」이라는 법률이 있어서, 여기에 규정이 있습니다. 「특허법」 제121조에 의하면, 특허권을 목적으로 하는 질권을 설정하는 경우에는 이를 '등록'하여야 합니다. 신청서를 작성해서, 특허청에 제출하는 것입니다.

특허법

제101조(특허권 및 전용실시권의 등록의 효력) ① 다음 각 호의 어느 하나에 해당하는 사항은 등록하여야만 효력이 발생한다.

3. 특허권 또는 전용실시권을 목적으로 하는 질권의 설정 · 이전(상속이나 그 밖의 일반승계에 의한 경우는 제외한다) · 변경 · 소멸(혼동에 의한 경우는 제외한다) 또는 처분의 제한

오늘은 권리질권의 설정방법에 관한 내용을 개관하였습니다. 내일부터는 좀 더 세부적인 내용을 공부할 것입니다. 채권질권의 설정

방법을 구체적으로 알아보도록 하겠습니다.

*참고문헌

김성태, "회사법의 쟁점 IX", 한국상장회사협의회, 월간상장, 2007.6., 107면.

송덕수, 「채권법총론(제5판)」, 박영사, 2020, 8-10면.

제347조(설정계약의 요물성)

채권을 질권의 목적으로 하는 경우에 채권증서가 있는 때에는 질권의 설정은 그 증서를 질권자에게 교부함으로써 그 효력이 생긴다.

우리는 같은 제목의 조문을 [동산질권] 편에서 공부한 적이 있었습니다. 바로 제330조입니다. 따라서 '요물성'이라는 말의 의미에 대해서는 이미 공부하였기 때문에 여기서는 넘어가고, 본문을 보도록 하겠습니다.

제330조(설정계약의 요물성) 질권의 설정은 질권자에게 목적물을 인도함으로써 그 효력이 생긴다.

제347조에 따르면, 채권을 질권의 목적으로 하는 경우 채권증서가 있는 때에는 질권의 설정은 그 증서를 질권자에게 교부함으로써 효력이 발생한다고 합니다. 이건 무슨 뜻일까요? 채권증서란 금전의 차용증(금전소비대차계약서)이나 예금증서와 같이 채권의 성립을 증명하는 서면을 말합니다(찾기 쉬운 생활법령정보).

그런데 왜 이런 규정을 두고 있을까요? 왜냐하면, 어떠한 채권에 질권이 설정되었다는 것을 대외적으로 '공시'할 필요가 있기 때문입니다. 질권자가 채권증서를 갖고 있으면, 누구라도 "아, 저 사람이 채권에 대해 질권을 갖고 있구나."라고 생각하겠지요. 채권증서를 교부하게 하는 것이, 마치 동산질권에서 목적물을 인도하는 것과 비슷한 모양새라는 것입니다(지원림, 2013).

우리의 판례는 제347조에서의 채권증서의 의미에 대하여, "'채권증서'는 채권의 존재를 증명하기 위하여 채권자에게 제공된 문서로서 특정한 이름이나 형식을 따라야 하는 것은 아니지만, 장차 변제 등으로 채권이 소멸하는 경우에는 민법 제475조에 따라 채무자가 채권자에게 그 반환을 청구할 수 있는 것이어야 한다"라고 판시하고 있으니 참고하시기 바랍니다(대법원 2013. 8. 22. 선고 2013다32574 판결).

그런데, 여기서 한 가지 궁금한 점이 생깁니다. 사실 우리가 돈을 서로 빌리고, 빌려주고 할 때 문서로 기록을 남기지 않고 그냥 말로 하는 경우가 굉장히 많습니다. 친구에게 100만원을 빌려달라고 하고, "내가 한 달 뒤까지는 갚을게~" 이렇게 말하는 것입니다. 야박하게 차용증까지 쓰자는 말이 잘 나오지 않지요. 이처럼 채권증서가 '없는' 채권이라면 질권 설정을 할 수 없는 것일까요?

일단 이런 경우라고 해도 기록이나 증거는 없지만, 채권 자체는 유효하게 성립합니다. 말로만 한 계약이더라도 계약은 유효하게 성립하기 때문입니다. 하지만 계약이 성립한 것과는 별개로, 질권을 설정할 수 있는지는 다시 생각해 볼 문제입니다. 사실 민법 제347조에서는 채권증서가 없는 경우에 대해서는 한 마디도 언급하지 않고 있습니다.

우리의 통설은, 채권증서가 없는 채권이라도 할지라도 질권을 설정할 수 있으며, 단지 채권질권을 설정하려는 합의만 있으면 질권이 설정되는 것이라고 보고 있습니다. 증서가 있으면 교부하되, 없으면 어쩔 수 없다는(?) 것이지요(그래도 나중에 공부할 제349조에 따른 대항요건의 문제는 여전히 남아 있습니다. 해당 파트에서 살펴볼 겁니다).

어쨌든 살면서 돈 빌려줄 일이 있다면 골치 아픈 문제를 겪지 않기 위해 차용증을 쓰는 습관을 들이도록 합시다. 공증까지 받으면 더 좋겠지요.

*사실 '채권'에도 여러 종류가 있어서, 지명채권, 지시채권, 무기명채권 등의 개념에 대해 공부할 필요가 있습니다. 그리고 오늘 공부하는 제347조는 사실상 지명채권의 질권설정에 대한 조문이라고 해석됩니다. 왜냐하면 무기명채권이나 지시채권 같은 경우에는 증서를 교부하도록 따로 정하고 있는 조문(제350조, 제351조)이 있기 때문입니다(박동진, 2022).

오늘은 채권질권의 설정방법(채권증서의 교부)에 대해 알아보았습니다. 내일은 저당채권에 대하여 살펴보도록 하겠습니다.

*참고문헌

박동진, 「물권법강의(제2판)」, 법문사, 2022, 434-435면.

지원림, 「민법강의(제11판)」, 홍문사, 2013, 754면.

찾기 쉬운 생활법령정보,
https://easylaw.go.kr/CSP/CnpClsMain.laf?popMenu=ov&csmSeq=272&ccfNo=3&cciNo=1&cnpClsNo=3, 2024.1.30. 확인.

제348조(저당채권에 대한 질권과 부기등기)

저당권으로 담보한 채권을 질권의 목적으로 한 때에는 그 저당권등기에 질권의 부기등기를 하여야 그 효력이 저당권에 미친다.

오늘 공부하는 제348조에는 저당채권이라는 개념이 나옵니다. '저당권부 채권'이라고 부르기도 하는데요, 단어만 들으면 무슨 말인가 싶겠지만 사실 우리가 여러 번 사례를 통해 접했던 내용입니다. 저당권부 채권이란 저당권에 의하여 담보되는 채권을 의미합니다.

예를 들어 철수가 급전이 필요하여 옆집의 나부자에게 1억원을 빌려달라고 부탁했다고 합시다. 그러나 나부자는 "내가 널 어떻게 믿고 그 큰 돈을 빌려줘?"라고 합니다. 철수는 이에 자신의 주택을 저당 잡기로 하고 1억원을 빌리기로 합니다. 이 경우 나부자가 철수에 대해서 갖고 있는 1억원의 채권이 바로 저당권부 채권입니다.

우리가 저당권의 개념을 아직 공부한 것은 아니지만, 질권은 부동산에 설정할 수 없는 반면 저당권은 부동산에 설정할 수 있는 담보물권이라는 점을 간단하게 알고 계시면 되겠습니다. 어차피 곧 저당권 파트를 공부하게 될 겁니다.

문제는 이러한 저당권부 채권에서의 저당권은 그 채권과 따로 떼어서 처분할 수 없다는 점입니다(제361조). 바꿔 말하면 저당권부

채권에서 저당권만 떼어서 입질할 수는 없으며, 2개를 함께 입질하여야 된다는 것입니다. 즉, 저당권부 채권에 질권을 설정하는 경우에는 그 저당권도 함께 질권의 목적이 된다는 것이지요(송덕수, 2019). 결국 저당권과 관련되어 있는 것이기 때문에 등기가 문제가 되는 것이라고 할 것이며, 제348조는 그에 대하여 규정한 조문이라고 하겠습니다.

> 제361조(저당권의 처분제한) 저당권은 그 담보한 채권과 분리하여 타인에게 양도하거나 다른 채권의 담보로 하지 못한다.

이제 제348조를 자세히 봅시다. 저당권부 채권이 질권의 목적이 되는 경우, 그 저당권등기에 질권의 부기등기를 하여야 저당권에 효력이 미친다고 하고 있습니다. 이건 또 무슨 의미일까요? 위의 사례를 좀 더 확장해서 공부하도록 합시다.

나부자는 철수에 대한 저당채권 1억원을 갖고 있었는데, 하루는 나부자 본인의 사업이 어려워져서 그도 돈이 필요하게 되었습니다. 이에 나부자는 자신의 친구인 더부자를 찾아가서, 8천만원을 빌리려고 합니다. 의심이 많은 더부자는 나부자에게 담보를 걸 것을 요구했고, 나부자는 자신이 갖고 있는 저당채권에 질권을 설정하자고 합니다. 그리고 나부자는 자신이 갖고 있던 저당권설정계약서를 더부자에게 교부합니다(제347조 참조).

이렇게 되면, 철수(나부자에 대한 1억원의 채무자, 저당권설정자)-나부자(철수에 대한 1억원의 채권자, 더부자에 대한 8천만원의 채무자, 철수의 주택에 대한 저당권자이자 질권설정자)-더부자(나부자에 대한 8천만원의 채권자, 질권자)로 이어지는 법학의 3각 트라이앵글(?)이 완성됩니다. 여러 권리가 얽혀서 좀 복잡해 보일 수 있기 때문에 각 법률관계를 꼼꼼히 살펴보시기 바랍니다. 저당권, 질권, 채권의 3가지 권리가 모두 등장하고 있는 사례입니다.

그런데, 저당권의 경우 나중에 공부하겠지만 부동산에 관한 법률행위로 인한 물권이기 때문에, 그 득실변경은 등기를 하여야 효력이 발생하게 됩니다(민법 제186조). 따라서 제대로 된 절차를 거쳤다면, 철수의 주택 부동산등기를 열어 보면 아마 '저당권자 나부자'라고 적혀 있을 것입니다.

제348조에서 말하고자 하는 것은, 이런 상태에서 저당권부 채권을 목적으로 하는 질권을 또 설정하는 경우 그 효력을 저당권에 '제대로' 미치도록 하기 위해서는 또 등기를 하라는 것입니다. 부기등기란 주(主)가 아닌 등기로, 쉽게 생각하면 '덧붙이는 등기'라고 할 수 있는데요, 예를 들면 바로 아래와 같은 모양으로 등기부가 작성되어야 한다는 것입니다.

【을 구】 (소유권 이외의 권리에 관한 사항				
순위번호	등기목적	접수	등기원인	권리자 및 기타사항

1	저당권 설정	2021년 5월 1일 제12345호	2021년 5월 1일 설정계약	채권액 금 100,000,000원 채무자 철수 서울시 관악구 A동 B 아파트 1001호 저당권자 나부자 서울시 강남구 C동 D 아파트 1001호
1-1	1번 저당권부 채권	2021년 6월 1일 제23456호	2021년 6월 1일 설정계약	채권액 금 80,000,000원 채무자 나부자 서울시 강남구 C동 D 아파트 1001호 채권자 더부자 서울시 강남구 E동 F 팰리스 1001호

위 등기부 예시에서 1-1, 저당권부질권이라고 적힌 부분이 바로 부기등기가 이루어진 모습입니다. 부동산등기를 따로 규율하고 있는 우리의 「부동산등기법」에서는 아예 별도의 조문을 두어서 저당권부채권의 질권 설정 시 등기하는 방법에 대해 상세히 기술하고 있습니다.

부동산등기법

> 제76조(저당권부채권에 대한 질권 등의 등기사항) ① 등기관이 「민법」 제348조에 따라 저당권부채권(抵當權附債權)에 대한 질권의 등기를 할 때에는 제48조에서 규정한 사항 외에 다음 각 호의 사항을 기록하여야 한다.
> 1. 채권액 또는 채권최고액
> 2. 채무자의 성명 또는 명칭과 주소 또는 사무소 소재지
> 3. 변제기와 이자의 약정이 있는 경우에는 그 내용

따라서 더부자는 이제 돈을 받아내려면 어떻게 하면 되는 걸까요? 나부자가 변제기에도 돈을 갚지 않는다면, 우선 더부자는 바로 철수(더부자의 입장에서는 제3채무자)에게 직접 채권을 청구할 수 있습니다(제353조제1항). 물론 1억원을 청구할 수는 없고 자신의 채권인 8천만원 한도에서 청구하여야 겠지요(제353조제2항). 다만, 저당권부채권의 변제기가 질권의 피담보채권 변제기보다 먼저 도래한 경우라면, 직접 청구는 안 되고 대신 나부자(저당권설정자)에게 변제금액의 공탁을 청구할 수 있습니다(제353조제3항). 이 부분은 추후 제353조에서 구체적으로 살펴볼 것이므로, 지금은 이런 조문이 있다는 정도만 알고 지나가시면 되겠습니다.

> 제353조(질권의 목적이 된 채권의 실행방법) ①질권자는 질권의 목적이 된 채권을 직접 청구할 수 있다.
> ②채권의 목적물이 금전인 때에는 질권자는 자기채권의 한도에서 직접 청구할 수 있다.

③전항의 채권의 변제기가 질권자의 채권의 변제기보다 먼저 도래한 때에는 질권자는 제삼채무자에 대하여 그 변제금액의 공탁을 청구할 수 있다. 이 경우에 질권은 그 공탁금에 존재한다.
④채권의 목적물이 금전 이외의 물건인 때에는 질권자는 그 변제를 받은 물건에 대하여 질권을 행사할 수 있다.

만약 철수가 더부자의 직접 청구에 불응하는 경우, 더부자는 본인의 질권에 기하여 저당권을 실행할 수 있습니다. 다만, 저당권을 구체적으로 어떻게 실행할 것이냐에 대해서는 학설의 논쟁이 있습니다. 이에 대해서 모두 언급하는 것은 본 글의 범위를 넘어서는 것이므로, 알고 싶은 분들은 참고문헌을 참조하시기 바랍니다(김운용, 2012)

그런데 여기서 이런 궁금증이 생깁니다. 만약 등기부에 위 1번까지만 기재되어 있고, 1-1의 등기를 깜빡 하지 아니하였다면 어떻게 되는 걸까요? 사람들이 시킨대로 다 하면 편하겠지만, 살다보면 실수가 생기기도 하는 법입니다.

제348조를 다시 한번 읽어 보시면 됩니다. '효력이 저당권에 미친다'라고 적혀 있기 때문에, 반대로 해석하면 부기등기를 하지 않는 경우에는 그 효력이 저당권에는 미치지 않는 것으로 보면 될 것입니다.

따라서, 우리의 통설은 저당권이 없이 그냥 '채권'에 대해서만 질권이 설정된 것으로 해석합니다(김준호, 2017). 저당권으로 보호(담보)되지 않아서 좀 아쉽기는 하지만 어쨌건 더부자는 나부자가 가진 1억원의 채권에 대해 질권자가 될 수는 있는 것입니다.

*다만, 통설에 대해서는 제361조의 해석상 부기등기가 없으면 채권에 대해서도 질권 취득이 어렵다고 보는 비판도 제기됩니다(이태종, 2019). 구체적인 논거는 참고문헌에 잘 제시되어 있으니, 관심 있는 분들은 한번 읽어 보시기 바랍니다.

오늘은 저당권부채권질권에 대해 공부하였습니다. 내일은 지명채권에 대한 질권의 대항요건에 대해 살펴보도록 하겠습니다.

*참고문헌

김용덕 편집대표, 「주석민법 물권3(제5판)」, 한국사법행정학회, 2019, 683-684면(이태종).

김운용, "저당권부채권에 질권이 설정된 경우채권질권의 실행방법", 법조협회, 법조 제61권제9호, 107-113면.

김준호, 「민법강의(제23판)」, 법문사, 2017, 841면.

송덕수, 「물권법(제4판)」, 박영사, 2019, 484면.

第349조(지명채권에 대한 질권의 대항요건)

①지명채권을 목적으로 한 질권의 설정은 설정자가 제450조의 규정에 의하여 제삼채무자에게 질권설정의 사실을 통지하거나 제삼채무자가 이를 승낙함이 아니면 이로써 제삼채무자 기타 제삼자에게 대항하지 못한다.
②제451조의 규정은 전항의 경우에 준용한다.

어제는 저당권부채권을 목적으로 하는 질권에 대해 공부했는데, 오늘은 지명채권을 목적으로 하는 질권에 대해 공부할 것입니다. 지명채권이란 무엇일까요? 이를 위해서 우리는 채권의 유형에 따라 나누어 공부할 필요가 있습니다.

우리가 알고 있는 채권은, 크게 지명채권과 증권적 채권으로 나누어 볼 수 있습니다. 지명채권이란 특정인을 채권자로 하는 채권으로서, 증권적 채권에 해당하지 않는 보통의 채권을 말합니다(김준호, 2017). 우리가 일상에서 "누군가를 지명(指名)한다(누군가를 정하여 가리키다)"라는 표현을 쓰는데, 특정한 사람을 '지명하는' 채권이라고 해서 지명채권이라는 이름이 붙었습니다.

반면, 증권적 채권이란, 채권이 증권으로 화체(化體)되어 그 성립, 존속, 양도, 행사 등이 원칙적으로 증권에 의하여 행해져야 하는 채권을 말합니다.

증권적 채권은 채권자를 정하는 방법에 따라 다시 4가지로 나뉘는데, ①기명채권, ②지시채권, ③무기명채권, ④지명소지인출급채권이 있습니다(지원림, 2013). 여기서 '증권'이라는 것은 우리가 주식 투자할 때의 주식을 말하는 것이 아니고, 채권증서를 말하는 것입니다. 그리고 잘 안 쓰는 표현이기는 합니다만 '화체'라는 것은 눈에 안 보이는 것(권리)을 물질화(化)하였다는 것으로, 서류 같은 것에 눈에 보이게 써넣었다는 뜻입니다.

이렇게만 설명하면 이해가 잘 안 가실 수 있으니 하나씩 살펴보면서 예를 들어 보도록 하겠습니다.

1. 지명채권

지명채권은 우리가 가장 흔하게 생각할 수 있는 채권의 유형입니다. 철수가 영희에게 100만원을 빌렸다고 해봅시다. (쓰면 더 좋았겠지만) 딱히 차용증이나 계약서도 쓰지 않았습니다. 그래도 채권은 성립합니다. 영희는 철수에게 100만원을 받아낼 수 있는 채권자입니다.

이것이 바로 지명채권의 예입니다. 이 사례에서, 채권자는 '영희'라는 사람으로 특정되어 있습니다. 다른 누구도 아닙니다. 영희입니다. 따라서 철수는 빌린 100만원을 정확히 영희에게 갚아야지, 다른 누군가에게 갚아서는 안됩니다.

다만, 이러한 지명채권의 채권자는 '특정'되기는 하지만 '바뀔' 수 있습니다. 무슨 뜻이냐, 영희가 자기가 가진 철수에 대한 100만원의 채권 자체를 나부자에게 90만원을 받고 팔아 버리는 겁니다.

일정한 요건이 갖추어지면 이러한 지명채권의 양도는 유효하며, 채권자는 영희에서 나부자로 바뀌게 됩니다. 철수는 100만원을 나부자에게 갚으면 됩니다. 여전히 '나부자'라는 특정한 사람이 채권자이지만, 어쨌건 채권자의 명의는 바뀔 수 있다는 것을 알 수 있습니다.

지명채권은 원칙적으로 양도가 가능하지만, 채권의 성질상 양도가 아예 안 되는 경우가 존재할 수 있고, 처음부터 양도금지특약을 넣어서 계약을 하거나 하는 경우에는 양도가 안 되는 등, 양도가 제한될 가능성도 충분히 있어 케이스 바이 케이스로 생각해야 합니다(제449조). 지명채권의 양도에 관한 자세한 내용은 나중에 채권법에서 공부할 것이니 일단 이 정도로 하고 지나가도록 하겠습니다.

제449조(채권의 양도성) ①채권은 양도할 수 있다. 그러나 채권의 성질이 양도를 허용하지 아니하는 때에는 그러하지 아니하다.
②채권은 당사자가 반대의 의사를 표시한 경우에는 양도하지 못한다. 그러나 그 의사표시로써 선의의 제삼자에게 대항하지 못한다.

2. 증권적 채권

아까 위에서 지명채권의 경우 증서(계약서, 차용증 등)의 존재가 필수적인 것은 아니라고 했습니다. 그러나 증권적 채권은 위에서 개념을 말씀드렸듯이, 증권(증서)의 존재가 필수적입니다. 그래서 이름도 '증권적' 채권 아니겠습니까? 증권이 존재하지 않는다면, 앙꼬 없는 찐빵인 것이지요.

증권적 채권에서는 채권의 성립, 존속, 양도, 행사 등이 원칙적으로 증권에 의하여 이루어진다고 했습니다. 어떻게 가능한 것인지, 증권적 채권의 유형을 하나씩 살펴보면서 예시를 보도록 하겠습니다.

증권적 채권의 가장 대표적인 사례는 바로 지시채권입니다. 지시채권이란, 보통 교과서에서는 "특정인 또는 그가 지시하는 자에게 변제하여야 하는 증권적 채권"으로 설명하고 있습니다만(김준호, 2017; 1163면, 지원림, 2013;1241면) 개인적으로는 개념 정의가 지명채권과의 차이점을 명확히 드러내지는 않고 있어서 오히려 헷갈리는 측면이 있는 것 같습니다. 차라리 채권증서에 채권자가 특정인으로 표시된 채권 정도로 이해하시는 것이 더 나을 것 같습니다(김해마루, 2019). 현실의 사례를 아래에서 살펴봅시다.

2.1. 지시채권의 사례: 어음

대표적인 지시채권의 사례는 어음이나 수표, 주권(주식)입니다.

예를 들어 철수가 양말을 생산해서 유럽에 수출하는 사업을 하나 하고 있습니다. 그런데, 철수는 지금 사정상 당장은 돈이 없지만, 물건을 수출한 대금이 3개월 뒤에 들어오게 되므로 3개월 뒤에는 돈이 생길 예정입니다. 문제는 사업상 급한 사정으로 지금 당장 돈이 필요하다는 것입니다. 이런 경우, 철수는 영희에게 100만원을 빌리고, 대신 '어음'이라는 것을 발행할 수 있습니다.

여기까지만 보면 앞에서 공부한 '지명채권'과 도대체 뭐가 다른지 의아하실 수 있습니다. "어차피 영희에게 100만원 빌리는 것은 똑같지 않느냐?" 이런 질문이 나올 수 있지요. 하지만 어음은 차이가 있습니다. 바로 아래와 같은 증서(어음)를 반드시 발행해야 한다는 것입니다.

<table>
<tr><td colspan="2" align="center">약속어음</td></tr>
<tr><td colspan="2">영 희 귀하
금 일백만원 정(₩1,000,000)
위의 금액을 귀하 또는 귀하의 지시인에게 이 약속어음과 상환으로 지급하겠습니다.</td></tr>
<tr><td>지급기일 2024년 5월 1일
지급지 서울시
지급장소 철수네 사무소</td><td>발행일 2024년 1월 1일
발행지 서울시
발행인 철수</td></tr>
<tr><td colspan="2">앞에 적은 금액을 일친구 또는 그 지시인에게 지급하여 주십시오.
(목적 또는 부기)</td></tr>
</table>

거절증서 작성을 면제함

년 월 일

주소 서울시 A동 A-1

성명 영 희

앞에 적은 금액을 이친구 또는 그 지시인에게 지급하여 주십시오.

(목적 또는 부기)

거절증서 작성을 면제함

년 월 일

주소 서울시 A동 A-1

성명 일친구

앞에 적은 금액을 삼친구 또는 그 지시인에게 지급하여 주십시오.

(목적 또는 부기)

거절증서 작성을 면제함

년 월 일

주소 서울시 A동 A-1

성명 이친구

앞에 적은 금액을 사친구 또는 그 지시인에게 지급하여 주십시오.

(목적 또는 부기)

거절증서 작성을 면제함

년 월 일

주소 서울시 A동 A-1
성명 **삼친구**

모든 어음이 양식이 이런 것은 아니고 조금씩 차이가 있지만, 대략의 이해에는 문제가 없을 것입니다. 어음의 앞면에는 위 그림의 첫 번째 칸에서처럼 '영희'의 이름이 적혀 있게 됩니다. 그런데 여기서 지명채권과의 차이점은, "귀하 또는 귀하의 지시인에게 약속어음과 맞바꾸어" 돈을 지급하겠다고 적혀 있다는 것입니다. 즉, 누구든지 100만원의 돈을 철수에게서 2024년 5월 1일에 받고 싶은 사람은, 이 증서를 가지고 철수를 찾아가야 할 것입니다.

그런데 영희는 철수에게 100만원을 빌려주고 어음을 받은 이후, 친한 친구 중 한 명인 '이친구'에게 어음을 돈 받고 팔아 버렸습니다. 그러면 영희는 어음의 뒷면(위 그림의 두 번째 칸 이하)에 "나, 영희는 이 어음에 적힌 금액을 [이친구]가 받을 수 있도록 명시한다"라는 의미로 기재하고 서명을 하게 됩니다.

그리고 '이친구'는 이 어음을 다시 자신의 친구인 '삼친구'에게 팔았습니다. 그러면 '이친구'도 영희가 했던 것과 유사하게 어음의 뒷면에 자신의 이름을 기재하고, "삼친구에게 어음을 넘겨준다"라는 사실을 명시해서 서명을 합니다. '삼친구'가 '사친구'에게 어음을 다시 팔아넘긴 경우에도 동일한 패턴입니다.

이와 같이 지시채권의 증서에 양도인, 양수인의 이름을 기재하고 그 양도의 사실을 증명할 수 있도록 기재하게 되는데 이러한 행위를 배서(背書)라고 합니다. 뒷면에 글을 적는다는 뜻으로 배서라는 한자를 쓰기는 하는데, 사실 꼭 반드시 뒷장에 적어야만 하는 것은 아니긴 합니다.

어쨌거나 철수는 비록 영희에게 돈을 빌리긴 했지만, 5월 1일에는 영희가 아니라 어음을 들고 나타난 (철수 입장에서는 생전 처음 보는) '사친구'에게 100만원을 갚으면 됩니다. 철수는 사친구가 가져온 어음이 진품인지 확인하고, 뒷면에 적힌 배서의 내용을 보고 혹시 위조된 건 아닌지 체크한 후 돈을 내줄 것입니다. 이제 특정인 또는 그가 지시하는 자에게 변제하는 채권, 지시채권의 의미를 좀 더 이해할 수 있게 되셨을 것입니다.

*사실, 어음의 경우 민법상 지시채권에 해당하기는 하지만 「어음법」이 따로 있어서 실제로 이 법률이 거의 적용되기는 합니다. 뒤에 나오는 수표 등도 「수표법」이 따로 있어 사실상 민법의 규정이 실제로 적용되는 경우는 많지 않습니다. 어음이나 수표에 대해 자세히 알고 싶은 분들은 해당 법률을 읽어 보시기 바랍니다.

2.2. 지시채권의 사례: 수표

지시채권의 또 다른 사례로 수표가 있습니다. 수표는 일상에서도

많이 들어 보셨을 겁니다. 아래 아래와 같은 것이지요.

자기앞수표
지급지
대한민국은행
가가00000000
₩ 100,000. (금일십만원정)
이 수표 금액을 소지인에게 지급하여 주십시오.
거절증서 작성을 면제함.
년 월 일
발행지
대한민국은행
SPECIMEN
00000000

고객기재란	성 명		실명확인인
	실명확인번호		
	연 락 처		
타행송금시	상 대 은 행	취급번호	
	계 좌 번 호		

출처: 한국조폐공사, https://www.komsco.com/kor/contents/50

마치 현금처럼 지갑에서 꺼내는 것이기는 하지만, 수표는 사실 지시채권의 일종입니다. 철수는 자신이 평소 애용하는 A은행에 찾아가서, 수표를 발행하고 싶다고 하고 원하는 액수만큼을 받아옵니다.

그리고 자신의 거래처에 물품 대금으로 그 수표를 건네줍니다. 다만, 현금과는 달리 그냥 건네어 주기만 해서 되는 것이 아니고, 지시채권이니까 수표의 뒷면에 배서를 합니다. 서명도 하고요.

그러면 거래처에서는 나중에 그 수표를 가지고 A은행을 방문하면 됩니다. A은행에서는 수표가 진품이 맞는지 등을 확인하고, 뒷장에 철수의 서명도 체크한 뒤 적힌 금액을 내어줄 것입니다(엄밀히는 철수의 계좌에서 빠져나가는 돈이지만요). 수표가 어떤 방식으로 돈 받을 사람을 '지시'하는 채권인지 아시겠지요?

수표법

제16조(배서의 방식) ① 배서는 수표 또는 이에 결합한 보충지[보전]에 적고 배서인이 기명날인하거나 서명하여야 한다.

② 배서는 피배서인(被背書人)을 지명하지 아니하고 할 수 있으며 배서인의 기명날인 또는 서명만으로도 할 수 있다(백지식 배서). 배서인의 기명날인 또는 서명만으로 하는 백지식 배서는 수표의 뒷면이나 보충지에 하지 아니하면 효력이 없다.

여담이지만, 옛날에는 식당 같은 곳에서 수표를 내밀었을 때 주민등록번호까지 배서하라고 상대방이 요구하는 경우가 잦았습니다. 물론 「수표법」을 포함한 어떤 법에도 주민등록번호를 배서하라는 말은 없었습니다만, 당사자 간에 합의를 해서 적는 것까지 막을 수는 없다 보니 그런 요구가 현장에서 많았던 것은 사실입니다. 이런 관행 때문에 개인정보 관리의 측면에서 논란이 되기도 했었는데요,

최근에는 주민등록번호를 배서하는 것을 금지하였다고 하니 참고 하시면 좋을 것 같습니다(중앙일보, 2015).

2.3. 지시채권의 사례: (기명)주식

우리가 흔히 주식투자 한다고 할 때 생각하는 주식(기명주식)도 지시채권의 일종입니다. “주식이 지시채권인가요? 주식이 돈을 빌렸다는 증서라도 되는 건가요? 그냥 제가 그 회사의 주주라는 뜻 아닌가요?” 이렇게 생각하실 수 있는데, 주식도 채권입니다. 주식의 경우에도 ‘주권’이라는 실제 문서를 발행해서, 주식의 존재를 증명하고는 했습니다.

예를 들어 철수가 양말을 만들어 수출하는 주식회사의 대표이사인데, 회사의 투자금을 모으기 위해 다음과 같이 주권을 발행하는 것입니다.

철수네 양말 주식회사 주권	
일백주권(壹百株券)	
금 백만원 정(₩1,000,000)	
1. 회사의 상호	철수네 양말 주식회사
2. 회사설립연월일	2005년 1월 1일
3. 일주의 금액	금 일만원 정
4. 주식발행연월일	2010년 1월 1일

<table>
<tr><td colspan="6">5. 발행주식의 종류 보통주식
본 주권은 당회사의 정관에 의한 주식 중 일백주의 주주임을 증명하기 위하여 이면 기명자에게 교부함.
2010년 2월 1일
철수네 양말 주식회사 대표이사 철수</td></tr>
<tr><td colspan="3">주주 영 희 귀하</td><td>교부 연월일</td><td colspan="2">2010년 3월 5일</td></tr>
<tr><td>등록연월일</td><td>주 주 명</td><td>등록증인</td><td>등록연월일</td><td>주 주 명</td><td>등록증인</td></tr>
<tr><td>①</td><td></td><td></td><td>⑤</td><td></td><td></td></tr>
<tr><td>②</td><td></td><td></td><td>⑥</td><td></td><td></td></tr>
<tr><td>③</td><td></td><td></td><td>⑦</td><td></td><td></td></tr>
<tr><td>④</td><td></td><td></td><td>⑧</td><td></td><td></td></tr>
</table>

철수는 1주에 1만원짜리 주식을 100장 발행했고, 이것을 영희가 사들인 것입니다. 그렇다면 영희는 철수의 회사에 100만원의 투자를 했다고 볼 수 있고, 이 주권은 영희가 철수네 회사의 주주라는 사실을 증명하고 있는 겁니다. 급전이 필요해지면, 영희는 이 주권을 팔아서 돈을 마련하면 될 것입니다. 위 그림에서는, 주권의 뒷면에 주식의 배서를 할 수 있도록 칸이 있는 것을 알 수 있습니다.

"저는 주식투자 한창 하고 있는데, 저런 거 본 적 없는데요? 배서도 한 적 없고요."

네, 아마 그럴 것입니다. 우리나라는 2019년부터 「주식 · 사채 등의 전자등록에 관한 법률」(약칭 '전자증권법')이 시행되었고, 그에 따라 실제로 종이로 인쇄된 주권이 아니라, 전자증권의 형태로 제도를 운영해 오고 있습니다. 그래서 비상장주식 등을 제외한 대부분의 주식은 주권을 전자 발행하고 있습니다. 결국 모바일 주식투자 같은 것을 하시는 분들은, 전자등록에 따라 자신의 주식이 양도되고 기록되므로 실물(實物)로 된 종이 증권을 들고 배서하고 돌아다닐 필요가 없는 것입니다.

주식 · 사채 등의 전자등록에 관한 법률

제35조(전자등록의 효력) ① 전자등록계좌부에 전자등록된 자는 해당 전자등록주식등에 대하여 전자등록된 권리를 적법하게 가지는 것으로 추정한다.

② 전자등록주식등을 양도하는 경우에는 제30조에 따른 계좌간 대체의 전자등록을 하여야 그 효력이 발생한다.

이러한 전자증권제도의 도입으로, 종이 주권 시대에 종종 발생했던 주권 위조 사건 같은 것들이 많이 줄어들게 되었습니다. 과거 몇몇 일당이 위조 주권을 유통시키려던 사건이 있었는데요, 관련 기사를 읽어 보시면 종이 주권과 위조의 문제가 중요한 이슈 중 하나였다는 사실을 이해하실 수 있을 것입니다(부산일보, 2015).

2.4. 무기명채권의 사례: 입장권

무기명채권이란, 지시채권과는 달리 말 그대로 특정한 채권자의 이름이 '기재되어 있지 아니한'(무기명) 채권으로서, 그 증권의 정당한 소지인에게 변제하여야 하는 채권을 말합니다. 증권에 의하여 채권의 성립, 존속, 양도, 행사가 이루어진다는 점에서 증권적 채권의 일종에 해당하는 것은 맞지만 지시채권은 아니라는 것입니다. 헷갈리지 않도록 주의하세요.

예를 들어 철수가 영희와 데이트를 하러 가서, 영화관 매표소에서 성인용 표 2장을 샀다고 해봅시다. 그러고 철수가 받은 종이 티켓이 있을 텐데요, 거기에는 '철수'라고 이름이 기재되어 있는 것이 아닙니다. 철수는 단지 극장에 입장하기 전에 문 앞에 서 있는 직원에게 그 표를 내밀기만 하면 되고요, 직원은 그 표를 소지하고 있기만 하면 극장에 들여보내 줄 것입니다.

만약 철수가 현장에서 다른 누군가에게 그 표를 헐값에 팔아 버리고, 그 사람이 극장에 입장한다고 하더라도 극장 직원 입장에서는 이를 알 방법이 없습니다. 무기명채권이니까요. 입장권 뒷면에 배서가 되어 있는 것은 아니기 때문입니다.

2.5. 그 외의 증권적 채권

증권적 채권의 대표적인 예로 지시채권과 무기명채권을 말씀드렸는데, 그 외에도 기명채권이나 지명소지인출급채권 같은 유형도 있습니다만 기명채권의 경우는 아예 민법에서 규정하는 바가 없고, 지명소지인출급채권은 무기명채권과 효력이 같으므로 여기서는 그냥 생략하고 넘어가도록 하겠습니다.

> 第525조(지명소지인출급채권) 채권자를 지정하고 소지인에게도 변제할 것을 부기한 증서는 무기명채권과 같은 효력이 있다.

자, 먼 길을 돌아오셨습니다. 이제 제349조를 봅시다. 제1항은, 지명채권을 목적으로 질권을 설정하는 경우에는 설정자가 민법 제450조에 따라 제3채무자에게 '질권이 설정되었다는 사실'을 통지하거나, (혹은) 제3채무자가 이를 승낙하여야 하고, 만약 그렇지 아니하면 질권 설정으로 제3채무자나 그 밖의 제3자에게 대항할 수 없다고 정합니다. 그러니까 이 조문은 제450조와 함께 읽어야 합니다.

> 제450조(지명채권양도의 대항요건) ①지명채권의 양도는 양도인이 채무자에게 통지하거나 채무자가 승낙하지 아니하면 채무자 기타 제삼자에게 대항하지 못한다.
> ②전항의 통지나 승낙은 확정일자있는 증서에 의하지 아니하면 채무자 이외의 제삼자에게 대항하지 못한다.

무슨 말일까요? 민법에서 처음으로 '제3채무자'라는 표현이 나옵니다. 제3채무자란, 어떤 채권관계에서, 채무자에게 채무를 진 사람, 즉 채무자의 채무자를 말하는 것입니다. 이렇게만 하면 헷갈리니까 예를 들어 봅시다. 자, 이번에는 영희 입장에서 생각해 보겠습니다.

영희는 어느 날 사업을 한번 해보려고 생각하는데, 돈이 없습니다. 그래서 나부자에게 가서 돈을 빌리려고 합니다. 이제 예상되시죠? 나부자는 뭘 믿고 돈을 빌려주겠냐며 버티고, 영희는 문득 자신이 옛날에 철수에게 100만원을 빌려주었던 것을 기억해 냅니다(소멸시효는 지나지 않았다고 가정합니다). 그래서 영희는, "철수에 대한 나의 채권을 담보로 하여 질권을 설정하고, 나부자에게 돈을 빌려야겠다."라고 생각합니다.

이렇게 되면, 일단 나부자-영희의 채권관계에서 나부자는 채권자이고, 영희는 채무자가 됩니다. 그런데 영희가 질권을 설정하려고 하는 채권(영희-철수 사이의 채권) 관계에서는 영희가 채권자이고, 철수는 영희에 대한 채무자이지요. 결국, 나부자 입장에서 철수는 '채무자의 채무자'로 제3채무자에 해당하는 것입니다.

이 상황에서, 질권설정자(영희)는 제349조제1항에 따라 철수(제3채무자)에게 "야, 너 내가 예전에 빌려줬던 100만원 기억하지? 내가 그 채권에다 지금 질권을 설정하고 나부자한테 돈 좀 빌리려고 하거든? 그렇게 알고 있어라." 이렇게 통지를 하여야 합니다. 혹은, 철수(제3채무자)가 영희에게 승낙을 하여야 합니다.

다만, '승낙'은 그 단어의 의미로는 "무언가를 허락한다"는 뜻이긴 하지만, 제349조에서의 '승낙'의 의미는 통상적인 의미와는 다릅니다. 여기서의 승낙이란, 채무자가 질권 설정의 사실을 알고 있음을 것을 스스로 밝히는 것이라고 합니다. 즉, 질권이 설정되었다는 사실을 알았다는 것을 제3채무자가 표시한다는 것이 승낙이란 겁니다(이태종, 2019).

왜냐하면 제349조에서 중요하게 생각하는 것은 제3채무자가 질권설정의 사실을 알고 있는지, 아닌지이기 때문이지요. 실제로 그 제3채무자가 질권 설정에 반대한다고 하더라도 질권 설정을 막을 수는 없습니다. 질권설정계약은 질권자와 질권설정자 사이에서 이루어지니까요.

그런데 우리 민법은 왜 이런 조문을 두고 있는 걸까요? 질권 설정 계약을 할 때 참여하는 사람은 영희(채무자)와 나부자(채권자) 뿐입니다. 이 둘 간의 계약인 겁니다. 그러니까 철수에게 질권 설정의 사실을 누군가 알려주거나 하지 않는다면, 철수는 자신과 관련되어 있는 채권에 질권이 설정되었다는 사실조차 모르게 될 것입니다.

제349조 같은 조문이 없다면, 문제는 더 커질 수도 있습니다. 예를 들어, 철수가 어느 날 집에 있는데 낯선 사람이 찾아와서 이러는 겁니다.

"당신, 영희에게 돈 빌린 거 있지? 내가 그 채권에 대한 질권자인데 말이야, 영희가 나한테 돈을 갚지 않았어. 그러니까 당신이 영희에게 줄 돈을 대신 나한테 줘야겠어."

이러면 철수는 이 낯선 사람의 말을 믿고 정말 그에게 돈을 주어야 할지, 아니면 원래대로 영희에게 돈을 갚아야 하는지 헷갈리게 됩니다. 즉, 이중변제의 위험성이 있는 것입니다. 하지만 제349조제1항이 존재하는 경우 철수는 최소한 자기 채무와 관련된 채권에 질권이 설정되어 있다는 사실은 알게 되므로, 추후 이중변제와 같은 문제가 발생할 가능성은 줄어들게 되지요.

만약 영희가 제349조제1항을 무시하고, 철수에게 어떠한 언질도 없이 나부자와 채권질권 설정계약을 맺어 버린다면 어떻게 될까요? 제349조제1항은 '대항하지 못한다'라고 하고 있지 '무효로 한다'라고는 하고 있지 않으므로, 일단 질권 설정계약은 유효합니다.

그러나 철수 입장에서는 질권이 설정되었다는 내용은 전혀 모르는 일이므로, 나중에 나부자가 철수에게 찾아와서, "너는 몰랐겠지만 사실 영희가 가진 채권의 질권자가 나다. 그런데 영희가 돈을 안 갚고 있으니, 네가 영희에게 갚아야 할 돈을 대신 내게 다오." 이렇게 이야기하더라도 두려울 것이 없습니다.

철수는, "미안하지만 당신의 말이 사실이라고 하더라도 당신은 제게 대항할 수 없습니다. 당신의 요구를 거절합니다." 이렇게 대답할 수 있는 것입니다. 철수 입장에서는 훨씬 상황이 나아지는 겁니다.

통지 또는 승낙이 있었다면, 그때부터는 제3채무자(철수) 입장에서도 "나는 몰랐다."라는 변명을 할 수 없게 됩니다. 또한, 나중에 공부하겠지만 민법 제352조는 질권설정자가 질권자 모르게 마음대로 질권의 목적이 되는 채권을 소멸시키거나 질권자의 이익을 해치지 못하도록 하고 있습니다.

> 제352조(질권설정자의 권리처분제한) 질권설정자는 질권자의 동의없이 질권의 목적된 권리를 소멸하게 하거나 질권자의 이익을 해하는 변경을 할 수 없다.

따라서 통지나 승낙이 있은 후라면, 어느 날 갑자기 영희가 찾아와서 "야, 철수. 내가 빌려준 돈 갚아라. 나는 너의 채권자니까 정당한 권리가 있다." 이렇게 이야기하더라도 철수는 함부로 영희에게 돈을 갚아서는 안됩니다. 제3채무자인 철수는 이 채권에 질권이 설정된 사실을 알고 있기 때문에, 질권자인 나부자의 동의가 없었다면 영희에게 함부로 변제를 해서는 안 되는 것이죠.

왜냐, 철수가 자기 마음대로 빚을 갚아 버리면 그 채권은 소멸하게 되고, 그 채권을 담보로 질권을 갖고 있는 나부자의 이익을 해치게 되기 때문입니다.

여기서 잠깐, 제349조제1항을 자세히 보시면, 제3채무자(철수) 외에 다른 한 사람이 1명 더 등장합니다. '기타 제3자'라는 인물인데요, 통지하거나 승낙함이 없으면 왜 이 제3자에게도 대항할 수 없다고 민법에 정해져 있는 걸까요? 그 이유는, 제3채무자는 물론 제3자 역시 '질권 설정'이라는 사실로부터 영향을 받을 수 있는 이해관계자이므로 보호할 필요성이 있기 때문입니다.

여기서 말하는 기타 제3자는 질권설정계약의 당사자(질권자-질권 설정자)와 제3채무자 이외의 사람을 의미하는 것으로, 이외의 모든 사람이 해당되는 것은 아니고 그 채권에 관하여 질권자의 지위와 양립하지 않는 법률상의 지위를 취득한 자를 뜻한다고 합니다(이태종, 2019; 694면). 표현이 좀 까다로운데, 일단 지금부터 말씀드릴 예시만 기억하시면 됩니다.

제3자의 대표적인 예는 채권의 양수인입니다. 위의 사례, 나부자-영희-철수로 이어지는 관계에서 약간 내용을 더 추가해 봅시다.

영희는 질권을 설정한 후 돈을 빌린 것으로도 모자라, 아예 (철수에 대한) 채권을 팔아 버리기로 결심합니다. 그래서 '김양수'라는 사람에게 채권을 돈 받고 팔았다고 해봅시다. 그러면 지금 법률관계는 다음과 같이 됩니다.

채권① : 채권자(나부자) - 채무자(영희)
채권② : 채권자(영희) - 채무자(철수)

*여기서 철수는 나부자 입장에서는 제3채무자임
질권설정: 질권자(나부자) - 질권 설정자(영희)
*채권②가 질권의 목적임
채권②의 양도 : 양도인(영희) - 양수인(김양수)

여기서 김양수 입장에서는 질권이 설정되어 있는 채권을 매입한 것인데, 문제는 우리가 지금 공부하는 채권이 지명채권이다보니, 따로 공시된 정보가 없어서 누가 말해주지 않으면 이 채권에 질권이 언제, 어떻게 설정되었는지 김양수는 알 수 없다는 점입니다.

그래서 민법 제349조제1항에서는 질권 설정자(영희)가 제3채무자(철수)에게 질권설정의 사실을 어떻게든 알게 만들고(통지 또는 승낙) 있는 것입니다. 그러면 나중에 김양수가 채권을 매입하고 나서, 채무자인 철수로부터 그 사실을 간접적으로 듣게 됨으로써 최소한 어떤 사실이 있었는지 알 수 있게 됩니다.

"뭐야, 그럼 굳이 제3채무자에게 통지하거나 승낙하게 할 것이 아니라, [제3자]에게도 직접 알려 주도록 하면 되잖아요. 왜 굳이 불편하게 제3채무자에게만 알려주는 거죠?"

이런 의문이 충분히 생기실 수 있습니다. 그러나 질권 설정 당시에는 아직 설정자(영희)가 아직 채권을 팔 생각이 없었고 팔지도 않았기 때문에, 통지를 하고 싶어도 할 대상이 없는 문제가 있습니다. 채권을 양도한 것은 한참 뒤의 일이기 때문에, 그때 가서 새롭게 이 법률관계에 뛰어든 양수인(김양수)에게 이 사실을 알려줄 방법을 민법에서는 고민한 것입니다. 비록 불완전한 방법이기는 하지만, 그래도 어떻게든 공시방법을 마련하기 위해 고려된 것이라고 하겠습니다(김준호, 2017; 1149면).

그런데 여기서 한 가지 더 체크하고 지나가야 하는 부분이 있습니다. 민법 제349조제1항을 자세히 읽어 보세요. '제450조의 규정에 의하여' 통지하거나 승낙하도록 하고 있거든요. 여기서 제450조를 다시 읽어 보면, 제1항뿐 아니라 제2항도 있다는 것을 알 수 있습니다.

제450조(지명채권양도의 대항요건)
②전항의 통지나 승낙은 확정일자있는 증서에 의하지 아니하면 채무자 이외의 제삼자에게 대항하지 못한다.

제450조제2항도 당연히 제450조의 일부분이니까 제349조에서도 이걸 지켜야 합니다. 그런데 제450조제2항에서는 통지나 승낙이 '확정일자 있는 증서'로 이루어져야지, 그렇지 않으면 '제3자'에게 대항하지 못한다고 하고 있습니다. 결국, 정리하자면 다음과 같은 것입니다.

지명채권에 대한 질권설정을 할 때, 대항요건을 갖추는 방법
- 제3채무자에게 대항하기 위해서는 → 질권설정자가 통지하거나, 제3채무자가 승낙할 것

- 제3자에게 대항하기 위해서는 → 질권 설정자가 (확정일자 있는 증서로) 통지하거나, 제3채무자가 (확정일자 있는 증서로) 승낙할 것

여기서 '확정일자'라는 단어가 민법에서 처음 등장합니다. 혹시 전세로 살고 있거나, 보증금을 끼고 입주해서 사시는 분들은 아마 한 번쯤 "확정일자 받아야 한다."는 이야기를 들으셨을 텐데요, 확정일자란 쉽게 생각하면 그 문서가 그 시기에 존재했다는 것을 법적으로 인정해 주는 날짜입니다.

예를 들어 내가 친구랑 A4 용지에 "나와 너는 주택매매계약을 한다. 2024년 4월 1일." 이렇게 적고 서로 사인을 했다고 해도, 솔직히 이 사정을 모르는 사람 입장에서는 이 계약서가 실은 2024년 8월 1일에 만들어진 것인데 거짓말로 2024년 4월 1일로 적은 것인지 알 수가 없습니다.

특히 법률관계에서 날짜의 중요성은 매우 크기 때문에, 당사자가 서로 짜고 계약서 등의 작성일을 속일 수 있는 가능성은 언제나 널려 있습니다. 또한 속일 생각이 없더라도, 그 문서가 정말로 2024년 4월 1일에 작성된 것이 진실인지 증명할 방법도 필요합니다.

그래서 우리 민법의 부칙 제3조에서는 신청을 받은 공증인이나 법원서기 같은 사람들이 확정일자 도장을 찍어 주게 하고, 공적으로 "그래, 이 종이는 2024년 1월 1일에 우리가 눈을 보고 확인했다. 그

때 존재한 문서가 맞다." 이렇게 인정해 주는 것입니다.

다만, 주의할 점은 확정일자는 어디까지나 그 날짜에 이 문서가 존재했다는 것을 인정해 주는 것일 뿐이므로, 그 문서가 법적으로 유효하다는 것을 증명하지는 않다는 것입니다. 확정일자 받았다고 그 계약서가 법적으로 아무 문제없다는 뜻은 아닌 거죠.

판례는 "확정일자란, 증서에 대하여 그 작성한 일자에 관한 완전한 증거가 될 수 있는 것으로 법률상 인정되는 일자를 말하며, 당사자가 나중에 변경하는 것이 불가능한 확정된 일자를 가리키고, 확정일자 있는 증서란, 위와 같은 일자가 있는 증서로서 민법 부칙 제3조 소정의 증서를 말한다."라고 합니다(대법원 1998. 10. 2. 선고 98다28879 판결). 부칙은 아래 조문을 참조하여 주십시오.

*참고로 부칙이란, 법률의 기본적인 조문(우리가 살펴보는 조문들을 말하며, 본칙이라고 부릅니다)에 대해서 부수되는 내용들을 따로 정리한 부분입니다. 보통 법령 사이트에 들어가면 법률 내용 중 스크롤을 아래로 쭉 내리면 제일 마지막에 붙어 있지요.

부칙 〈법률 제471호, 1958. 2. 22.〉
제3조 (공증력있는 문서와 그 작성) ①공증인 또는 법원서기의 확정일자인있는 사문서는 그 작성일자에 대한 공증력이 있다.
②일자확정의 청구를 받은 공증인 또는 법원서기는 확정일자부에 청구자의 주소, 성명 및 문서명목을 기재하고 그 문서에 기부번호를 기입한 후 일자인을 찍고 장부와 문서에 계인을 하여야 한다.

③일자확정은 공증인에게 청구하는 자는 법무부령이, 법원서기에게 청구하는 자는 대법원규칙이 각각 정하는 바에 의하여 수수료를 납부하여야 한다.
④공정증서에 기입한 일자 또는 공무소에서 사문서에 어느 사항을 증명하고 기입한 일자는 확정일자로 한다.

결국 제349조와 제450조를 조합해서 생각해 보면, 제3자에게 대항력을 갖기 위해서는 그냥 전화나 문자로 통지나 승낙만을 해서는 안 되고, 문서로 하고 확정일자까지 받아야 한다는 결론이 됩니다. 결과적으로 우리 민법은 제3채무자보다 제3자의 경우에는 대항력을 얻기 위해 좀 더 까다로운 요건을 요구하고 있는 것인데요, 그 이유는 뭘까요?

왜냐하면 확정일자가 없는 경우 제3자는 예상치 못한 피해를 입을 수 있기 때문입니다. 제3채무자에 대한 대항요건의 경우처럼 단순한 통지나 승낙만으로도 충분하다고 해버리면, 당사자가 질권 설정일자를 소급시켜 제3자의 지위를 위태롭게 하는 결과가 발생할 수 있으므로(이태종, 2019; 693면), 확정일자 있는 증서를 요구하고 있는 것입니다.

이제 거의 다 왔습니다. 제349조제2항을 봅시다. 여기서는 "제

451조의 규정은 전항의 경우에 준용한다."라고 규정하고 있습니다.

> 제451조(승낙, 통지의 효과) ①채무자가 이의를 보류하지 아니하고 전조의 승낙을 한 때에는 양도인에게 대항할 수 있는 사유로써 양수인에게 대항하지 못한다. 그러나 채무자가 채무를 소멸하게 하기 위하여 양도인에게 급여한 것이 있으면 이를 회수할 수 있고 양도인에 대하여 부담한 채무가 있으면 그 성립되지 아니함을 주장할 수 있다.
> ②양도인이 양도통지만을 한 때에는 채무자는 그 통지를 받은 때까지 양도인에 대하여 생긴 사유로써 양수인에게 대항할 수 있다.

제451조는 '이의를 보류하지 아니한 승낙'과 대항할 수 있는 사유에 대한 내용인데요, 이 부분은 채권법에서도 상세히 다루어야 할 내용이고, 여기서 모두 설명하기에는 무리가 있어 간단하게만 말씀드리고 넘어가도록 하겠습니다.

쉽게 요약하자면, 채무자(철수)가 질권을 설정할 때 아무런 토를 달지 않고, 문제제기도 하지 않고 질권 설정을 승낙해 버렸다면, 낙장불입이라는 겁니다. 즉, 원래 채권자였던 영희에게 대항할 수 있었던 사유(항변사유)를 들어서 질권자(나부자)에게 반항할 수 없다는 거지요. 그런 사유가 있었으면 미리 얘기를 했었어야지 왜 승낙해 놓고 뒤에 가서 딴소리냐는 겁니다. 구체적인 내용은 추후에 제451조에서 공부할 것이므로, 일단은 이 정도로 하고 지나가도록 하겠습니다.

오늘 긴 내용을 살펴보느라 고생이 많으셨습니다. 채권법에서 또 다루긴 할 것이지만, 빼놓고 지나가기에는 무리인 것들이 있어 부득이하게 이야기가 좀 길어지고 말았으니 양해 부탁드립니다.

우리가 공부한 채권과 질권의 설정, 그리고 통지의 내용은 실제로도 가끔 발생하는 현상입니다. 주로 전세자금대출상품 같은 것들이 그런 것인데요, 그 원리는 돈 없는 세입자가 전세보증금(엄밀히는 임대차보증금입니다. 채권적 전세의 개념에 대해서는 전에 공부한 적이 있었습니다)을 내기 위해서 은행에서 돈을 빌리고, 대신 자신이 집주인에 대해서 갖는 임대차보증금반환청구권(채권)에 질권을 설정하는 것입니다(채권양도의 방법을 취하는 경우도 있음).

그러면 세입자 입장에서는 돈도 없는데 은행에서 전세자금이라도 빌려서 전세 살 수 있으니까 좋고, 채권자인 은행 입장에서는 채권에 질권을 설정함으로써 나중에 돈을 돌려받을 때 확실한 담보를 잡을 수 있으니까 좋습니다.

다만 여기서는 집주인이 제3채무자가 되는데, 집주인이 딱히 이득 보는 건 없긴 합니다. 은행에서는 보통 집주인에게 내용증명 같은 것을 보내서 집주인에게 질권설정사실을 통지하거나 승낙을 받습니다.

그럼 나중에 전세계약(엄밀히는 임대차계약)이 끝날 때 집주인이 전세금을 돌려주되 은행에 돌려주면 되는 거지요. 집주인 입장에서는 갑자기 내용증명 같은 거 날아오니까 놀라기도 하고, 나중에 임차인에게 돈을 돌려줘야 할지 은행에 돌려줘야 하는 건지 헷갈리는 등 오히려 귀찮은 일이 많다고 생각하기도 합니다.

이런 문제에 대해서는 인터넷에 많은 고민, 상담사례 등이 있으니 관심 있는 분들은 찾아보시기 바랍니다. 현실의 사례와 공부한 내용을 연결시켜서 생각해 보는 재미가 있을 거예요. 참고를 위해서 금융감독원에서 보도한 자료 일부를 첨부하겠습니다.

① 임대인(집주인)과 임차인(세입자)간 임대차(전세)계약 체결
② 은행은 임대차보증금반환채권에 대해 우선적인 권리를 확보하기 위한 조치(질권설정 등)를 취함
③ 은행이 ②의 조치(질권설정 등)를 임대인에게 주장(대항)할 수 있기 위해 질권설정 등 사실을 임대인에게 통지하는 한편, 임대인에게 임대차 계약사실을 확인
④ 보증기관(서울보증보험, 주택금융공사 등)의 보증서 발급
⑤ 은행과 임차인간 전세자금대출 계약 체결
※ 대출금은 임차인(차주)의 동의절차를 거쳐 임대인에게 직접 송금⑥ 만기시 임대인이 은행에 직접 임대차보증금(대출금) 상환(질권소멸)
자료: 금융감독원, 2016

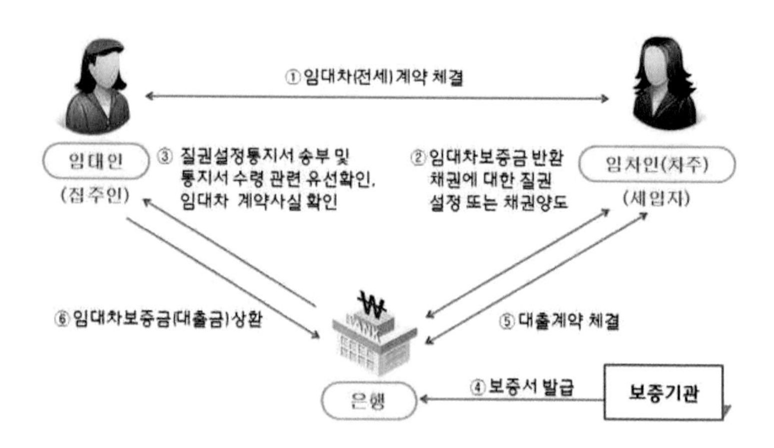

출처: 전세자금대출 취급 관련 소비자에 대한 안내 강화 방안, 금융감독원, 2016

고생 많으셨고, 내일은 지시채권에 대한 질권의 설정방법에 대해 공부하도록 하겠습니다.

*참고문헌

김용덕 편집대표, 「주석민법 물권3(제5판)」, 한국사법행정학회, 2019, 689면(이태종).

김준호, 「민법강의(제23판)」, 법문사, 2017, 1143면.

김해마루, 「법학 입문(제5판)」, 율현출판사, 2019, 155면.

지원림, 「민법강의(제11판)」, 홍문사, 2013, 1240면.

금융감독원, “전세자금대출 취급 관련 소비자에 대한 안내 강화 방안”, 2016

중앙일보, “수표 뒷면 주민번호 금지…'그럼 뭘 남겨야 하나'”, 2015.2.4., https://www.joongang.co.kr/article/17095627#home, 2024.1.31. 확인.

부산일보, "정주영 현대정유 주권 바꿔 달라면 100% 사기", 2015.9.15., https://www.busan.com/view/busan/view.php?code=20150915000096, 2024.1.31. 확인.

第350條(지시채권에 대한 질권의 설정방법)

지시채권을 질권의 목적으로 한 질권의 설정은 증서에 배서하여 질권자에게 교부함으로써 그 효력이 생긴다.

오늘은 지시채권에 대한 질권 설정방법을 공부하겠습니다. 어제 지시채권의 개념은 공부했지요? 증권적채권은 채권자를 정하는 방법에 따라 4가지로 나뉘는데, 지시채권은 그 중 하나였습니다. 지시채권이란 증권적 채권의 일종으로서, 증서에 기재된 채권자 또는 그가 지시한 자에게 변제하여야 하는 채권을 뜻한다고 했습니다. 대략의 의미와 예시는 어제 말씀드렸으므로 지나가도록 할게요.

第350條에서는, 지시채권의 질권의 목적인 경우 그 질권의 설정은 증서에 배서하여 질권자에게 교부함으로써 효력이 발생한다고 합니다(질권설정자의 배서 + 질권자에 대한 교부).

어제 배서의 의미(질권설정의 뜻을 기재하는 것)에 대해서는 알아보았고요, 다만 배서를 어떤 형식으로 할 것이냐, 그것이 좀 신경 쓰일 수 있습니다. 우리 민법은 제7절, 지시채권에 관한 절 제510조에서 배서를 하는 사람이 서명(기명날인)하여야 한다고 규정하고 있습니다.

第510條(배서의 방식) ①배서는 증서 또는 그 보충지에 그 뜻을 기재하고 배서인이 서명 또는 기명날인함으로써 이를 한다.

②배서는 피배서인을 지정하지 아니하고 할 수 있으며 또 배서인의 서명 또는 기명날인만으로 할 수 있다.

서명과 기명날인에 대해 궁금해하는 분들이 있는데, 인터넷에 검색하면 많이 나오지만 간단히 설명드리자면 '서명'은 말 그대로 본인이 자기 이름을 자기 필체로 적는 것을 의미합니다. '기명날인'에서 '기명'(記名)은 한자어 그대로 해석하자면 이름을 기록한다는 건데요. 그러면 서명과 무슨 차이냐, 생각될 수도 있습니다만, 보통 기명날인은 자신의 이름이 이미 도장 같은 것에 새겨져 있고 그것을 '찍는' 것을 말합니다. 구체적으로 말하자면, 기명날인이란 행위자가 성명을 기재하고(기명) 자신의 인장을 찍는 것이며(날인), 서명이란 자필(스스로의 손글씨)로 이름을 쓰는 것입니다(김병태, 2008)

제350조에서 말하는 교부는 채권증서의 점유를 이전하는 것을 말합니다. 우리는 점유이전(인도)의 방법으로 4가지(현실의 인도, 간이인도, 점유개정, 목적물반환청구권의 양도)를 공부한 바 있는데, 유의할 점은 4가지 방법 중 점유개정은 교부 방법으로 인정하기 어렵다는 것입니다(이태종, 2019).

전에 동산질권의 설정에서 점유개정을 금지하는 취지에 대해 살펴본 바 있는데요(제332조), 같은 논리로 왜 점유개정이 안 되는지 한번 스스로 생각해 보시면 답을 찾을 수 있을 것입니다.

*참고로, 지시채권이 아닌 지명채권의 경우에는(제347조), 통설은 점유개정도 가능하다고 봅니다(김준호, 2017).

다만, 우리의 판례는 "주식의 질권설정에 필요한 요건인 주권의 점유를 이전하는 방법으로는 현실의 인도(교부) 외에 간이인도나 반환청구권의 양도도 허용되고, 주권을 제3자에게 보관시킨 경우 주권을 간접점유하고 있는 질권설정자가 반환청구권의 양도에 의하여 주권의 점유를 이전하려면 질권자에게 자신의 점유매개자인 제3자에 대한 반환청구권을 양도하여야 하고, 이 경우 대항요건으로서 그 제3자의 승낙 또는 질권설정자의 그 제3자에 대한 통지를 갖추어야 한다."라고 합니다(대법원 2012. 8. 23. 선고 2012다34764 판결).

오늘은 지시채권과 그 질권 설정방법에 대해 공부하였습니다. 내일은 무기명채권에 대한 질권 설정방법에 대해 알아보겠습니다.

*참고문헌

김병태, "어음,수표상 "기명날인 또는 서명"의 유형별 법적 효력", 영산대학교 법률연구소, 영산법률논총 제5권제1호, 2008.9., 209-210면.

김용덕 편집대표, 「주석민법 물권3(제5판)」, 한국사법행정학회, 2019, 700면(이태종).

김준호, 「민법강의(제23판)」, 법문사, 2017, 839면.

제351조(무기명채권에 대한 질권의 설정방법)

무기명채권을 목적으로 한 질권의 설정은 증서를 질권자에게 교부함으로써 그 효력이 생긴다.

오늘은 무기명채권에 질권을 어떻게 설정하는지 알아보도록 하겠습니다. 무기명채권이란, 증권적 채권의 일종으로서 특정한 채권자를 지정하지 않고, 그 증권을 정당하게 소지하고 있는 사람에게 변제하도록 하는 채권을 말한다고 했습니다. 이미 공부한 바 있습니다(제349조 파트 참조).

제351조에 따르면, 무기명채권을 목적으로 질권 설정을 하는 경우에는 (채권)증서를 질권자에게 교부함으로써 효력이 발생한다고 합니다. 우리의 학설은 여기서 교부, 즉 점유를 이전할 때 현실의 인도, 간이인도, 목적물반환청구권의 양도 모두 가능하지만, 성질상 점유개정은 인정되지 않는다고 보고 있습니다. 왜냐하면 점유개정이란 양수인이 간접점유자가 되고, 양도인이 직접점유자로서 그 동산의 점유를 하는 것을 뜻하는데(민법 제189조 참조), 점유개정을 허용해 버린다면 질권설정자가 계속 채권증서를 소지하고 있을 수 있게 되어 질권의 공시 자체가 어려워지기 때문입니다.

오늘은 무기명채권에서의 질권 설정 방법을 알아보았습니다. 내일은 질권설정자의 권리처분제한에 대하여 공부하도록 하겠습니다.

제352조(질권설정자의 권리처분제한)

질권설정자는 질권자의 동의없이 질권의 목적된 권리를 소멸하게 하거나 질권자의 이익을 해하는 변경을 할 수 없다.

사례를 들어 생각해 보도록 하겠습니다. 여기 철수가 있습니다. 늘 그래 왔듯이 돈이 없고요, 그래서 어떻게 방법이 없을까 생각하다가 자신이 예전에 옆집의 영희에게 100만원을 빌려주었던 것을 기억해 냅니다(소멸시효 문제는 없다고 하겠습니다). 철수는 영희에 대한 100만원의 채권자인 것입니다.

철수는 이 채권에 질권을 설정하여, 나부자로부터 돈을 빌릴 생각을 합니다. 그렇다면 철수는 질권 설정자가 되고, 나부자는 질권자가 됩니다. 제352조에 따르면, 철수(질권 설정자)는 나부자(질권자)의 동의 없이 질권의 목적된 권리(영희에 대한 채권)를 소멸시키거나, 나부자의 이익을 해치는 변경을 할 수 없습니다.

예를 들어, 철수가 영희로부터 100만원을 변제받아 버렸다고 해봅시다. "내가 빌려준 돈을 내가 받겠다는데 뭐가 문제야?" 라고 철수는 생각할 수 있는데, 이게 그렇게 쉬운 문제는 아닙니다.

왜냐하면 철수와 영희 사이의 채권은 변제로 소멸하게 되고, 질권의 목적이 없어져 버리기 때문에 나부자(질권자)는 갑자기 자신의 담보를 잃어버리게 되기 때문입니다. 즉, 철수의 행위가 나부자(질권자)에게 피해를 입힌 것이지요.

그래서 제352조에서는 질권자를 예측하지 못한 불이익으로부터 보호하기 위하여, 질권 설정자가 질권자의 동의를 받아야 한다고 규정합니다.

만약 그러한 동의가 없이 변제가 이루어져 버린 경우라면 어떻게 될까요? 그 행위는 무효가 되는데요, 주의할 것이 그냥 무조건 효력 없다는 뜻의 절대적인 무효는 아니고요, 질권자와의 관계에서 (상대적으로) 무효가 된다는 뜻입니다.

즉, 영희는 나부자의 동의 여부와는 상관없이 일단 유효하게 채권을 변제한 것이 됩니다. 그러나 그것은 영희와 철수 사이의 문제일 뿐, 나부자는 그런 것까지 알 바 아니기 때문에 나부자는 여전히 영희에게 채권을 청구해 버릴 수 있습니다. 영희 입장에서는 괜히 골치 아파지기 싫으면 그냥 철수에게 함부로 변제하지 않는 것이 나을 겁니다.

대법원도 "민법 제352조가 질권설정자는 질권자의 동의 없이 질권의 목적된 권리를 소멸하게 하거나 질권자의 이익을 해하는 변경을 할 수 없다고 규정한 것은 질권자가 질권의 목적인 채권의 교환가치에 대하여 가지는 배타적 지배권능을 보호하기 위한 것이므로, 질권설정자와 제3채무자가 질권의 목적된 권리를 소멸하게 하는 행위를 하였다고 하더라도 이는 질권자에 대한 관계에 있어 무효일 뿐이어서 특별한 사정이 없는 한 질권자 아닌 제3자가 그 무효의 주장을 할 수는 없다."라고 하여 같은 입장입니다(대법원 1997. 11. 11. 선고 97다35375 판결).

참고로, 제352조에서는 제3채무자(위 사례에서의 영희)에 대해 언급하고 있지는 않지만, 학설은 제3채무자도 제349조의 대항요건이 갖추어진 뒤에는 질권자의 이익을 해치지 않도록 제한을 받는다고 해석합니다(박동진, 2022). 따라서 영희도 마음대로 철수에게 돈을 갚을 수 없는데요, 만약 멋대로 갚아 버린다면 이는 나부자(질권자)에 대해서는 상대적 무효가 됩니다(이태종, 2019). 여전히 나부자는 영희에게 돈을 내놓으라고 청구할 수 있는거죠(제353조).

위의 사례에서는 변제 수령(철수가 자신이 빌려준 돈을 받는 것)을 예로 들었지만, 다른 예들도 생각해 볼 수 있습니다. 철수가 영희를 불쌍하게 여겨서 빚을 탕감해 준다든가(면제), 아니면 원래 영희에게 갚아야 할 돈이 따로 있어서 그 액수만큼을 까주기로(?) 한다든가(상계), 갚을 기일을 더 늦춰준다든가(변제기의 연장), 원래 받기로 했던 이자를 안 받기로 하는 등의 행위들도 모두 질권자의 이익을 해칠 수 있는 것으로서 제한되는 행위라고 하겠습니다.

오늘은 질권설정자의 권리처분제한에 대해 알아보았습니다. 내일은 질권의 목적이 된 채권을 어떻게 회수할 수 있는지, 구체적인 방법을 살펴보도록 하겠습니다.

*참고문헌

김용덕 편집대표, 「주석민법 물권3(제5판)」, 한국사법행정학회, 2019, 710-711면(이태종).

박동진, 「물권법강의(제2판)」, 법문사, 2022, 438면.

제353조(질권의 목적이 된 채권의 실행방법)

①질권자는 질권의 목적이 된 채권을 직접 청구할 수 있다.

②채권의 목적물이 금전인 때에는 질권자는 자기채권의 한도에서 직접 청구할 수 있다.

③전항의 채권의 변제기가 질권자의 채권의 변제기보다 먼저 도래한 때에는 질권자는 제삼채무자에 대하여 그 변제금액의 공탁을 청구할 수 있다. 이 경우에 질권은 그 공탁금에 존재한다.

④채권의 목적물이 금전 이외의 물건인 때에는 질권자는 그 변제를 받은 물건에 대하여 질권을 행사할 수 있다.

모처럼 꽤 긴 조문이 나왔습니다. 제1항부터 차근차근 읽어 보도록 하겠습니다. 제1항은, 질권자가 (채권)질권의 목적이 된 채권을 직접 청구할 수 있다고 합니다. 여기서 직접 청구의 대상은 제3채무자인데요, 예를 들어 보도록 하겠습니다.

철수가 자신이 가진 (영희에 대한) 채권을 담보로 해서(입질해서) 나부자에게 돈을 빌렸다면, 철수는 질권설정자가 되고 나부자는 질권자가 되겠지요. 이런 상태에서 철수가 돈을 갚지 않는다면, 질권자(나부자)는 직접 제3채무자(영희)에게 "야, 철수가 돈을 갚지 않으니 네가 돈을 좀 줘야겠다."라고 청구할 수 있다는 것입니다. 만약 영희가 말을 듣지 않으면 이행청구소송을 제기해 버리면 됩니다.

물론, 여기서 나부자는 자신이 빌려준 돈만 받으면 되는 것이니까 그 한도를 넘어서 영희에게 내놓으라고 할 수는 없습니다. 예를 들어 영희가 철수에게 진 빚은 100만원이고, 나부자가 받아야 할 돈(철수에게 빌려준 돈)은 80만원이라면, 나부자는 영희에게 직접 청구를 하더라도 80만원을 청구해야지 100만원을 청구할 수는 없는 겁니다. 이것이 바로 제2항의 내용입니다.

*물론, 제2항은 질권의 목적인 채권(입질채권)이 금전채권인 경우에 적용된다고 적혀 있습니다. 금전채권이 아닌 채권인 경우는 제4항에서 다룹니다.

다만, 여기서 제1항과 제2항의 중요한 요건이 2개의 채권(철수-나부자 간 채권, 철수-영희 간 채권)의 변제기가 모두 도래한 상태여야 한다는 것입니다. 문제가 되는 것은 서로 다른 두 채권의 변제기가 다른 경우인데요, 이런 경우를 우리 민법은 제3항에서 다루고 있습니다. 이제 제3항으로 넘어가 봅시다.

제3항은, 채권의 변제기가 질권자의 채권 변제기보다 먼저 도래한 경우 질권자가 제3채무자에 대하여 변제금액의 공탁을 청구할 수 있다고 규정합니다. 무슨 소리인지 모르겠으니 위의 사례를 응용해 보겠습니다.

철수가 영희에게 돈을 빌려주면서 변제기를 1월 27일로 했다고 합시다. 그런데 철수는 나부자에게 돈을 빌릴 때, 1월 31일까지 돈을 갚겠다고 약속하였습니다.

이런 경우 문제가 생길 수 있습니다. 생각해 봅시다. 1월 27일이 되면 영희는 철수에게 100만원의 빚을 갚을 것이므로, 철수에게는 100만원이 생길 겁니다. 그런데, 나부자가 보니까 뭔가 좀 수상합니다. 철수는 매일 술을 퍼먹고 다니면서 도박을 즐깁니다. 약속했던 1월 31일까지 기다렸다가는, 저 100만원이 모두 날아가 버릴 판입니다. 그래서 나부자는 1월 26일에 영희를 찾아가, "내가 질권자다. 내가 철수에게 80만원 받을 돈이 있으니, 내일 20만원만 철수에게 갚고 나머지 80만원은 내게 지급해 달라." 이렇게 이야기합니다.

그러나 영희는 이렇게 대답하지요. "죄송하지만 당신은 철수에게 돈을 빌려 주면서 1월 31일에 돈을 받기로 했는데, 제가 왜 내일(27일)에 당신에게 미리 돈을 주어야 하죠? 철수는 31일까지 돈을 갚으면 되잖아요. 철수에게도 기한의 이익이 있습니다. 그런데 그걸 제가 마음대로 박탈할 수는 없지요." 나부자는 말문이 막힙니다.

그러고 다음날이 되자 영희는 철수에게 100만원을 건넸습니다. 나부자는 돈이 생겼으니 이제 80만원을 갚으라고 해보지만, 철수는 "1월 31일에 주기로 했는데 무슨 소리냐. 내게는 기한의 이익이 있다. 31일에 정확히 줄 거다." 이렇게 버팁니다.

나부자 입장에서는 당연히 불안하지요. 무슨 뜻이냐 하면, 영희의 변제에 의하여 입질채권은 소멸하고, 이는 자신의 채권을 담보해 주는 질권이 27일에 소멸해 버린다는 의미입니다. 그렇다면 자신의 채권이 무담보 채권이 되어 버리는 것입니다. 나부자 입장에서는 어떻게 대응해야 할까요? 바로 이런 경우에 제3항이 적용될 수 있습니다.

조금 딱딱한 표현으로 제3항의 의미를 생각해 보자면, 사례에서와 같이 입질채권의 변제기가 피담보채권의 변제기보다 먼저 도래하는 경우에는 원칙적으로 질권자가 제3채무자에게 직접 청구를 하는 것이 어렵기 때문에, 우리 민법에서는 제353조제3항을 두어서 질권자가 입을 수 있는 피해를 줄이려고 한 것입니다.

*여기서 '입질채권'이란 질권의 목적이 되는 채권으로, 사례에서는 철수-영희 사이의 채권을 말합니다. 피담보채권이란 담보를 받는 채권이라는 뜻이므로, 사례에서는 철수-나부자 사이의 채권을 말합니다.

그런데 여기서 '공탁'이라는 단어가 나옵니다. 우리는 이 단어를 공부한 적이 있었습니다. 바로 민법 제340조에서입니다. 동산질권 파트였죠. 그때 공부하기를, 공탁이란 객관적으로 돈을 떼먹지 않고(?) 관리해 줄 제3의 기관인 공탁소에 돈이나 물건, 유가증권 등을 맡기는 것이라고 했습니다.

제340조(질물 이외의 재산으로부터의 변제) ①질권자는 질물에 의하여 변제를 받지 못한 부분의 채권에 한하여 채무자의 다른 재산으로부터 변제를 받을 수 있다.
②전항의 규정은 질물보다 먼저 다른 재산에 관한 배당을 실시하는 경우에는 적용하지 아니한다. 그러나 다른 채권자는 질권자에게 그

배당금액의 공탁을 청구할 수 있다.

다시 사례를 볼까요? 영희를 찾아갔지만 말문이 막혔던 나부자는, 민법 제353조제3항을 떠올립니다. "민법 제353조제3항에서는 제채권(질권자의 채권) 변제기보다 입질채권의 변제기가 먼저 도래한 경우에 질권자인 제가 제3채무자인 당신에게 변제금액의 공탁을 청구할 수 있도록 하고 있습니다. 그러니까 법률의 규정을 믿고 돈을 공탁소에 맡기십시오. 이건 법에 규정된 것입니다." 이렇게 말합니다.

*여기서 영희가 공탁소에 맡겨야 할 돈이 80만원인지, 아니면 100만원인지가 논란이 좀 있습니다. 학설의 논란이 있는데, 채무 전액(100만원)을 공탁하여야 한다는 입장, 피담보채권의 한도액(80만원)을 공탁하면 된다는 입장이 있는 듯합니다. 굳이 지금 모두 다룰 필요는 없는 내용이므로, 자세한 사항은 참고문헌을 참조하여 주시면 되겠습니다 (김영주, 2018).

영희도 다시 민법을 보니 제3항에 그런 규정이 있습니다. 그래서 27일에 돈을 공탁소에 맡깁니다. 그러면 영희는 자신이 해야 할 일을 다한 것이고, 나부자 입장에서는 원래는 (제353조제3항이 없었다면) 27일에 소멸하였어야 할 자신의 질권이 '공탁금에 여전히 존재한다'고 주장할 수 있게 되므로(제3항 후단), 여전히 자신의 채권을 든든하게 담보로 지킬 수 있게 됩니다. 이것이 바로 제3항 후단의 "이 경우에 질권은 그 공탁금에 존재한다."라는 문장의 의미입니다. 공탁소에 있는 돈이므로 철수는 마음대로 돈을 펑펑 쓸 수 없고, 31일이 되어서 철수가 돈을 안 갚는다고 하더라도 나부자는 공탁소에서 80만원을 찾아가면 되는 겁니다. 나부자 입장에서는 매우 안심이겠지요.

*다만, 입질채권의 변제기가 먼저 도래하였는데도 질권자(나부자)가 공탁을 요구해 오지 않는 기묘한 케이스가 발생할 수 있는데, 이런 경우에는 제3채무자가 이러지도 저러지도 못하는 문제가 발생할 수 있다는 지적이 있어 법률의 정비가 필요하다는 지적이 있습니다. 자세한 내용은 아래 참고문헌을 참고하시기 바랍니다(이태종, 2019; 김영주, 2018;494-495면).

이제 제4항을 보겠습니다. 제4항은 "채권의 목적물이 금전 이외의 물건인 경우"를 다루고 있습니다. 예를 들어 위의 사례에서, 철수가 영희에게 100만원을 빌려준 것이 아니라 다이아 목걸이를 빌려 준 것이라면 어떨까요? 이것도 채권의 일종입니다.

여기서 이런 궁금증이 생깁니다.

"제353조제1항을 보면, 질권자는 질권의 목적이 된 채권을 직접 청구할 수 있다고 정해 뒀는데요, 그러면 그냥 나부자는 제1항에 따라서 [채권]을 [영희]에게 [직접 청구]하면 되지 않나요? 그럼 충분할 것 같은데, 굳이 제4항까지 만들 필요가 있나요?"

그렇습니다. 사실 제1항만 존재하더라도 나부자는 영희에게, "철수는 내게 돈을 빌렸고 당신으로부터 다이아 목걸이를 받을 수 있는 채권에 질권을 설정했습니다. 이제 철수가 기일이 되었는데도 돈을 갚지 않으니, 당신이 소지하고 있는 다이아 목걸이는 제게 주셔야겠습니다." 이렇게 얘기할 수 있습니다. 그래서 다이아 목걸이를 영희로부터 받는 것까지는 쉽게 가능합니다.

문제는 지금부터입니다. 만약 이렇게 되어 버리면 논리적인 문제가 발생할 수 있어요. 나부자는 어차피 다이아 목걸이가 필요한 게 아니고, 다이아 목걸이를 경매에 넘기든지 해서 환가하고, 자신이 빌려준 80만원의 현금을 돌려받는 것이 목적입니다(제338조).

제338조(경매, 간이변제충당) ①질권자는 채권의 변제를 받기 위하여 질물을 경매할 수 있다.
②정당한 이유있는 때에는 질권자는 감정자의 평가에 의하여 질물로 직접 변제에 충당할 것을 법원에 청구할 수 있다. 이 경우에는 질권자는 미리 채무자 및 질권설정자에게 통지하여야 한다.

그런데 문제는 나부자가 영희로부터 다이아 목걸이를 수령하는 순간, 나부자가 가진 채권에 대한 유효한 변제가 있었던 것으로 되고(나중에 채권편에서는 나부자를 [변제수령권자]라고 설명합니다), 변제가 있었으므로 피담보채권(나부자-철수)은 소멸하게 되며, 피담보채권이 소멸하면 당연히 질권도 소멸하게 된다는 것입니다.

즉, 쉽게 말하면 나부자는 다이아 목걸이를 손에 넣었지만 더 이상 질권자가 아니게 되며, 질권자가 아니기 때문에 제338조에 따른 경매도 할 수 없다는 겁니다. 논리적으로 말이 안 되는 거죠.

그래서 제353조제4항에서는, 질권자가 제3채무자로부터 목적물을 인도받은 경우에는 인도를 받음과 '동시에' 그 물건에 대해서 질권을 취득하게 하고 있습니다(이태종, 2019). 따라서 나부자는 이제 다이아 목걸이의 동산질권을 취득한 것과 다름없는 효과를 누릴 수 있고(전에 공부한 물상대위와 비슷한 효과), 제338조에 따라 경매나 간이변제충당을 할 수 있게 됩니다. 이것이 바로 제353조제4항이 존재하는 이유입니다.

오늘 긴 내용을 공부하느라 고생하셨습니다. 내일은 민사집행법에 따른 질권의 실행에 대해 알아보도록 하겠습니다.

*참고문헌

김영주, "채권질권의 실행", 한국비교사법학회, 비교사법25(2), 2018.5., 494면.

김용덕 편집대표, 「주석민법 물권3(제5판)」, 한국사법행정학회, 2019, 724-726면(이태종).

第354조(동전)

질권자는 전조의 규정에 의하는 외에 민사집행법에 정한 집행방법에 의하여 질권을 실행할 수 있다.

조의 제목이 좀 특이합니다. '동전'인데요, 여기서의 동전은 우리가 흔히 생각하는 화폐(coin)로서의 동전(銅錢)이 아니라, 동전(同前), 즉 "앞과 같음"이라는 뜻입니다. 사실 동전이라는 말은 별로 잘 안 쓰는 단어여서, 정부에서 제출한 민법 일부개정법률안에서는 이를 "「민사집행법」에 따른 질권의 실행"으로 바꾸자도 제안하기도 했습니다(정부, 2019).

우리는 어제 第353조에서 채권질권의 실행방법으로 질권자가 제3채무자에게 직접 청구하는 방식에 대해 공부하였습니다. 질권의 목적이 되는 채권이 금전채권인지, 금전채권이 아닌지에 따라 나누어 설명을 했었지요.

그런데 우리가 공부하는 제2절은 [권리질권]에 관한 챕터이고, 권리질권의 대표적인 것이 채권질권이기는 하지만 채권 외에도 질권의 목적이 되는 권리가 없는 건 아니에요(예를 들어 지식재산권). 이처럼 채권이 아닌 권리가 질권의 목적인 경우에는 第353조에서 규정하는 직접 청구의 방식이 오히려 불편할 수도 있습니다.

또 채권이라고 할지라도 주식 같은 것은 직접 청구하기가 어려운

측면이 있습니다. 그래서 제354조에서는 직접 청구의 방식 외에 「민사집행법」에 따른 방식으로도 권리질권을 실행할 수 있다고 귀띔해 주고 있습니다.

그렇다면 「민사집행법」에 따른 질권의 실행이란 어떤 것일까요? 간략하게나마 맛만 보도록 하겠습니다. 「민사집행법」은 강제집행이나 임의경매, 보전처분 등을 규정한 법률입니다(민사집행법 제1조).

민사집행법
제1조(목적) 이 법은 강제집행, 담보권 실행을 위한 경매, 민법 · 상법, 그 밖의 법률의 규정에 의한 경매(이하 "민사집행"이라 한다) 및 보전처분의 절차를 규정함을 목적으로 한다.

누군가 내 돈을 빌려가고 갚지 않을 때, 우리는 채무자로부터 돈을 받아내고 싶지만 마음대로 문을 따고 들어가서 돈을 들고 나올 수는 없는 노릇입니다. 그러면 큰일 나지요.

그래서 우리의 법제도는 채권자가 국가의 강제력을 빌려서, 사법(私法) 상의 청구권을 실현시키도록 하고 있는데요, 예를 들어 우리가 드라마 같은 것에서 보면 돈을 못 갚을 경우 집안 곳곳에 빨간 딱지를 붙이던 장면을 떠올려 볼 수 있습니다. 담당자 같은 사람이 "이 딱지 떼면 처벌받습니다!"하면서 엄포를 놓기도 하죠. 바로 그런 것들이 민사집행의 일종이라고 할 수 있습니다.

「민사집행법」에서는 채권에 대한 강제집행을 규정하고 있습니다. 채권의 강제집행이란 이런 겁니다. 예를 들어 철수가 영희에게 100만원을 빌려준 채권자라고 합시다. 영희는 한편으로 이웃집의 김거지에게 80만원을 빌려준 적이 있었습니다(소멸시효나 지명채권 질권의 대항요건 같은 문제는 없다고 생각합시다). 이런 경우 철수 입장에서 김거지는 제3채무자가 될 것입니다. 철수(채권자, 질권자)-영희(채무자, 질권설정자)-김거지(제3채무자)가 되는 겁니다.

만약 영희가 철수에게 돈을 갚지 않으면, 철수는 영희의 재산(김거지에 대한 영희의 채권)에 눈독을 들일 수밖에 없습니다. 이런 경우 철수에게 민사집행법은 영희의 채권으로부터 자기 채권을 만족시킬 수 있는 3가지 방법을 알려줍니다. 바로 ①추심, ②전부, ③환가의 3가지입니다. 간략히 알아보겠습니다.

먼저 추심(추심명령)이란, 금전채권에 대해서만 가능한 것인데, 채권자(철수)가 채무자(영희)가 가진 제3채무자(김거지)에 대한 채권을 압류한 후 대위절차 없이 채권을 추심할 수 있다는 것입니다(「민사집행법」 제229조제1항 및 제2항).

'추심'이라는 단어는 가끔 볼 수 있는데요, 길거리에 "채권추심, 못 받은 돈 받아 드립니다" 같은 찌라시를 한번은 보신 적이 있을 것입니다. 한자로는 추심(推尋)으로, 찾아내서 받아낸다는 의미입니다. 여기서도 그런 의미로 생각하시면 되겠습니다(대위절차 같은 개념은 여기서는 그냥 생략하고 지나갈게요). 쉽게 생각하면 법원에서 채권자(철수)에게 김거지로부터 돈을 뜯어낼(?) 수 있는 권리(추심권)를 부여하는 것입니다.

민사집행법
제229조(금전채권의 현금화방법) ①압류한 금전채권에 대하여 압류채권자는 추심명령(推尋命令)이나 전부명령(轉付命令)을 신청할 수 있다.
②추심명령이 있는 때에는 압류채권자는 대위절차(代位節次) 없이 압류채권을 추심할 수 있다.

다음으로 전부(전부명령)이란, 역시 금전채권에 대해서만 가능한 것인데, 채권자가 압류한 금전채권을 아예 양도받는 것입니다. 여기서 전부(轉付)는 '바뀔 전'에 '부칠, 맡길 부'의 한자입니다. 역시 일상생활에서는 잘 안 쓰는 단어여서 생소하긴 합니다.

앞에 나온 추심은 채무자의 채권 자체를 가져오는 것은 아니고 단지 그 채권으로부터 돈을 받아낼 권리만 있는 반면, 전부명령에서는 채무자(영희)의 채권 자체가 채권자(철수)에게 이전됩니다. 전부명령으로 신청할지, 추심명령으로 신청할지는 채권자의 자유입니다만 각각은 장단점이 있습니다. 상세한 내용은 인터넷을 검색해 보시기를 추천드립니다.

민사집행법
제229조(금전채권의 현금화방법)

③전부명령이 있는 때에는 압류된 채권은 지급에 갈음하여 압류채권자에게 이전된다.

마지막으로 환가는 돈으로 바꾼다는 뜻인데, 민사집행법 제210조에서는 유가증권의 현금화 방법을, 제214조에서는 압류된 채권이 조건이나 기한이 있는 등 추심이 어려운 경우에 특별히 현금화하는 방법을 규정하고 있습니다. 자세한 내용은 민사집행법 교과서를 참조하시길 바랍니다.

민사집행법

제210조(유가증권의 현금화) 집행관이 유가증권을 압류한 때에는 시장가격이 있는 것은 매각하는 날의 시장가격에 따라 적당한 방법으로 매각하고 그 시장가격이 형성되지 아니한 것은 일반 현금화의 규정에 따라 매각하여야 한다.

제241조(특별한 현금화방법) ①압류된 채권이 조건 또는 기한이 있거나, 반대의무의 이행과 관련되어 있거나 그 밖의 이유로 추심하기 곤란할 때에는 법원은 채권자의 신청에 따라 다음 각호의 명령을 할 수 있다.

1. 채권을 법원이 정한 값으로 지급함에 갈음하여 압류채권자에게 양도하는 양도명령
2. 추심에 갈음하여 법원이 정한 방법으로 그 채권을 매각하도록 집행관에게 명하는 매각명령
3. 관리인을 선임하여 그 채권의 관리를 명하는 관리명령
4. 그 밖에 적당한 방법으로 현금화하도록 하는 명령

어쨌든 제354조는 민사집행법에 정한 위의 규정들을 이용해서 질권자가 권리질권을 실행할 수 있다고 하고 있습니다. 또, 민사집행법 제273조는 채권을 목적으로 하는 담보권의 실행은 담보권의 존재를 증명하는 서류(예를 들어 철수와 영희 간의 질권설정계약서)를 제출하면 개시된다고 하고 있으므로, 철수 입장에서는 별도로 소송을 벌이지 않아도 집행이 가능해서 편리한 측면이 있습니다. 이를 다른 용어로는 집행권원을 필요로 하지 않는다고 표현합니다.

민사집행법

제273조(채권과 그 밖의 재산권에 대한 담보권의 실행) ①채권, 그 밖의 재산권을 목적으로 하는 담보권의 실행은 담보권의 존재를 증명하는 서류(권리의 이전에 관하여 등기나 등록을 필요로 하는 경우에는 그 등기사항증명서 또는 등록원부의 등본)가 제출된 때에 개시한다.

오늘은 권리질권의 실행, 그중에서도 민사집행법에 따른 실행 방법을 알아보았습니다. 내일은 준용규정에 대해 공부하도록 하겠습니다.

*참고문헌

민법 일부개정법률안(정부제출), 의안번호 2021928, 2019.8.

第355조(준용규정)

권리질권에는 본절의 규정외에 동산질권에 관한 규정을 준용한다.

드디어 질권도 끝이 보입니다. 第355조는, 권리질권에는 본절에서 정하는 것 외에 동산질권에 관한 규정을 준용하도록 하고 있습니다. 권리질권 역시 어디까지나 질권의 일종이기 때문에, 아무래도 동산질권과는 좀 비슷한 측면도 있습니다. 동산질권은 물건, 그 중에서도 양도가 가능한 동산을 목적으로 하는 것인 반면, 권리질권은 물건이 아닌 권리를 목적으로 한다는 차이가 있지요. 그래서 비슷한 부분도 많지만 또 다른 부분도 있기 때문에 第355조는 '준용'한다고 표현하고 있는 것입니다.

예를 들어 동산질권에 관한 규정 중 第329조에서는 "동산질권자는 채권의 담보로 채무자 또는 제삼자가 제공한 동산을 점유하고 그 동산에 대하여 다른 채권자보다 자기채권의 우선변제를 받을 권리가 있다"고 규정하고 있는데, 이 조문을 권리질권에 준용하자면 권리질권자 역시 그 '권리'에 대하여 다른 채권자보다 자기채권의 우선변제를 받을 수 있다고 해석할 수 있을 겁니다. 다만, 권리질권에서 권리는 물리적으로 점유할 수 있는 것은 아니므로 '권리를 점유한다'는 의미로 준용할 수는 없겠지요.

이처럼 준용의 의미상 동산질권에 관한 규정 중 일부는 권리질권

에 대해서는 적용이 될 수도, 안 될 수도 있습니다. 어떤 것이 적용이 되고, 또 어떤 부분은 적용이 안 되는지에 관해서는 별도로 하나씩 판단해야 합니다. 여기서 동산질권에 관한 모든 조문을 하나씩 살펴보기는 어려우므로, 그 부분은 스스로 생각해 보시는 것으로 하도록 하겠습니다. 동산질권과 권리질권의 차이점을 생각해 보시면 크게 어렵지 않을 거예요.

이것으로 질권에 대한 파트가 끝났습니다. 질권에 대해 공부하시느라 고생 많으셨고요, 내일부터는 정말 중요한 담보물권을 공부하게 될 겁니다. 바로 [저당권]입니다.

Part 9.

제9장, 저당권

第356조(저당권의 내용)

저당권자는 채무자 또는 제삼자가 점유를 이전하지 아니하고 채무의 담보로 제공한 부동산에 대하여 다른 채권자보다 자기채권의 우선변제를 받을 권리가 있다.

오늘부터 드디어 제9장, [저당권]을 시작하겠습니다. 사실 지금까지 민법을 공부해 오면서 자주 등장했던 개념이기도 하고, 예시로도 여러 차례 써먹었어서 꽤 익숙하시기도 할 겁니다. 그럼 저당권의 개념부터 시작해 보도록 하겠습니다.

저당권이란 뭘까요? 일단 교과서적인(?) 표현을 먼저 볼까요. 저당권이란, 채무자 또는 제3자(물상보증인)이 채무의 담보로 제공한 부동산 기타의 목적물을 인도받지 아니하고 단지 관념상으로만 지배하다가, 채무의 변제가 없는 경우 그 목적물로부터 우선변제를 받는 물권이라고 합니다(송덕수, 2019). 민법 제356조에서도 비슷한 말로 저당권의 내용을 정의하고 있습니다.

하지만 이렇게 딱딱한 표현으로 공부하면 뭔가 와닿지 않으니까, 단순한 예를 들어 보겠습니다. 여기 철수가 있습니다. 항상 지금까지 그래 왔듯이 이번에도 급전이 필요하겠죠? 철수의 유일한 재산은 부모님으로부터 물려받은 땅 100평뿐이라고 가정합시다. 철수는 이제 이 땅을 담보로 해서 돈을 빌릴 생각을 합니다.

철수는 역시나 옆집의 나부자를 찾아가, 사업을 해보고 싶으니 돈 1억원만 빌려 달라고 합니다. 나부자는 뭘 믿고 1억원을 빌려주냐, 이렇게 나옵니다.

그러면 철수는 자기 명의의 땅이 있으니 이것을 담보로 돈을 빌려 달라고 하는 겁니다. 나부자가 대충 견적을 때려보니 철수가 가진 100평의 땅이 1억원 가치는 넉넉히 넘는 것 같습니다. 그래서 철수와 계약을 하고, 철수의 땅에 저당권을 설정하되 만약 철수가 돈을 갚지 않으면 철수의 땅을 경매로 넘겨 팔아버리고 그 돈으로 자신의 채권을 회수하기로 합니다. 이것이 바로 저당권 설정계약입니다(참고로 민법 제186조에 따라서 당연히 저당권은 등기를 하여야 취득할 수 있습니다).

이제 철수는 어떻게 하면 될까요? 만약 이게 동산질권이었다면, 철수는 질권의 목적물이 된 동산을 나부자에게 '인도'하여야겠지요(민법 제330조). 하지만 이건 동산질권이 아니라 저당권입니다. 목적물은 동산이 아니라 부동산(철수의 땅)이고요.

저당권의 경우, 채무자(저당권 설정자)인 철수는 자기 소유의 땅을 여전히 마음대로 쓸 수 있습니다. 나부자가 저당권자라고 해서 철수의 땅에 건물을 지을 수 있는 것이 절대 아닙니다. 나부자는 단지 그 땅에 저당권을 걸어 두고, 만약 혹시 철수가 돈을 갚지 못할 때를 대비할 뿐인 겁니다. 철수는 비록 담보로 제공은 했지만 자기의 땅을 평소처럼 계속 사용할 수 있어서 좋고, 나부자는 고가의 부동산을 담보로 잡고 있으니 돈을 떼일 염려가 거의 없어서 안심할 수 있지요. 이것이 바로 저당권입니다.

*현실에서는 사실 나부자 같은 케이스에서 담보권을 강화하기 위하여 저당권과 함께 지상권을 설정하는 경우가 흔합니다(이른바 담보지상권). 이 부분에 대한 설명은 이 글의 범위를 넘는 것이므로, 교과서를 참조하여 주시기 바랍니다.

그러면 구체적으로 저당권은 어떤 경우에 적용되는 걸까요? 제356조에서는 '부동산'이라고 하고 있지만, 사실 부동산 외에도 저당권이 적용되는 것들이 많이 있습니다. 저당권의 목적(객체)는 어떤 것이 가능한가? 라는 문제인데, 하나씩 살펴보도록 합시다.

1. 부동산

오늘 공부하는 민법 제356조에 명시되어 있습니다. 당연히 저당권의 목적으로 삼을 수 있습니다.

2. 부동산물권: 지상권, 전세권

부동산물권은 엄밀히는 권리이지 부동산 그 자체라고 할 수는 없는데요, 나중에 또 공부하겠지만 우리 민법은 지상권이나 전세권 같은 부동산물권에도 저당권을 설정할 수 있다고 규정하고 있습니다(제371조). 이 부분은 어차피 공부할 부분이니까 지금 자세히 보지는 않겠지만, '권리'에 저당권을 설정한다는 것이 다소 생소할 수 있으므로 기억은 해 두시면 좋을 듯합니다.

> 제371조(지상권, 전세권을 목적으로 하는 저당권) ①본장의 규정은 지상권 또는 전세권을 저당권의 목적으로 한 경우에 준용한다.
> ②지상권 또는 전세권을 목적으로 저당권을 설정한 자는 저당권자의 동의없이 지상권 또는 전세권을 소멸하게 하는 행위를 하지 못한다.

3. 입목

땅에서 자라고 있는 나무 같은 것들도 경우에 따라 저당권의 객체가 될 수 있습니다. 「입목에 관한 법률」에서는 입목을 "토지에 부착된 수목의 집단으로서 그 소유자가 이 법에 따라 소유권보존의 등기를 받은 것"이라고 정의하고 있습니다. 이처럼 특별법에 의하여 입목은 독립된 하나의 부동산으로 인정받고 있기 때문에, 땅과는 별개의 부동산으로서 저당권을 설정할 수 있는 것입니다.

4. 공장 또는 광업재산

우리의 법제에서는 공장과 같은 시설 전체를 하나로 보아 거기에 저당권을 설정할 수 있도록 하고 있습니다. 예를 들어서 철수가 운영하는 빵 공장이 있다고 하면, 거기에는 땅이 있고, 그 땅 위에 공장 건물이 있고, 공장 안에 빵 굽는 기계나 시설 등이 잔뜩 있을 건데요, 원칙적으로 이러한 물건들은 모두 별개의 것으로서 따로 저당권을 설정할 수도 있기는 합니다.

하지만 공장에 속하는 시설 같은 것을 모두 묶어서 처분하는 경우에는 오히려 가치가 더 보장될 수도 있을 것입니다. 빵 굽는 기계와 빵 옮기는 기계를 따로 사는 것보다, 한꺼번에 사려는 것이 더 편하니까요. 이처럼 공장에 속하는 땅이나 건물, 기계, 시설 같은 것들을 모두 묶어서 하나의 '재단'으로 구성하고 거기에 저당권을 설정할 수 있도록 하고 있는데, 이를 공장재단저당이라고 부릅니다. 광업재산의 경우에도 유사하게 광업재단을 설정하여 저당권의 목적으로 할 수 있는데 이를 광업재단저당이라고 합니다. 상세한 내용은 인터넷을 검색하여 보시기 바랍니다.

5. 특수한 동산: 선박, 건설기계, 자동차, 항공기 등

원칙적으로 저당권의 목적은 부동산이 되는 것이 보통이고, 동산을 담보로 돈을 빌리고 싶으면 질권을 이용하게 됩니다만, 특이하게 아주 예외적으로 동산임에도 저당권 설정이 가능한 동산이 있습니다. 바로 자동차나 선박, 항공기 같은 큼지막한(?) 동산들인데요, 이러한 동산은 독특하게 '등록'이라는 공시제도가 따로 마련되어 있고, 부동산이 부동산등기로 관리되는 것처럼 공시가 되기 때문에 일반적인 보통의 동산(예를 들어 볼펜)과는 달리 마치 부동산처럼 취급됩니다. 따라서 이러한 특수한 동산의 경우, 오히려 질권을 설정할 수 없고 저당권만 설정할 수 있습니다.

6. 특수한 권리

어업을 할 수 있도록 허락해 주는 특수한 면허인 어업권 같은 권리들이 있습니다. 어업권 외에도 광업권, 댐 사용권 같은 권리들인데요, 이러한 권리의 경우, 담보권자(돈을 빌려준 사람)가 그 권리를 넘겨받아서 직접 실시(혹은 운용)하는 것 자체가 부적절하다고 판단되기 때문에 우리 법제에서는 수산업법이나 광업법 같은 법률에 따라 이러한 권리들을 '물권'으로 간주하고, 저당권을 설정할 수 있도록 하고 있습니다(배형원, 2019).

오늘은 저당권은 어떤 경우에 설정할 수 있는지, 저당권이란 무엇인지 간단하게 알아보았습니다. 내일부터는 본격적으로 저당권의 세계에 빠져 보도록 하겠습니다. 내일은 근저당을 공부하도록 하겠습니다.

*참고문헌

김용덕 편집대표, 「주석민법 물권4(제5판)」, 한국사법행정학회, 2019, 28면(배형원).

송덕수, 「물권법(제4판)」, 박영사, 2019, 491면.

제357조(근저당)

①저당권은 그 담보할 채무의 최고액만을 정하고 채무의 확정을 장래에 보류하여 이를 설정할 수 있다. 이 경우에는 그 확정될 때까지의 채무의 소멸 또는 이전은 저당권에 영향을 미치지 아니한다.
②전항의 경우에는 채무의 이자는 최고액 중에 산입한 것으로 본다.

오늘 공부할 내용은 근저당입니다. 사실 현실에서 직접 눈으로 볼 수 있는 사례는 오히려 저당권 자체보다 근저당이 훨씬 많습니다. 그만큼 중요하기도 한데요, 근저당이란 도대체 무엇인지 차근차근 알아가 보도록 하겠습니다.

일반적으로 저당권이라고 하면, 부동산 같은 것으로 피담보채권을 담보하는 것을 뜻하지요. 예를 들어 철수가 1억원을 나부자에게 빌리면서, 자신의 주택에 저당권을 설정하는 식입니다.

그런데 돈을 빌린다는 것이 상황에 따라서는 이래저래 복잡한 경우가 발생할 수도 있습니다. 예를 들어, 철수가 1억원을 빌리고 보니 2천만원 정도가 더 필요해서, 나부자에게 2천만원을 더 빌릴 수도 있는 겁니다. 나부자 입장에서는 철수가 저당을 잡힌 주택의 가치가 넉넉하다면, 그 주택을 담보로 계속 잡는 조건으로 2천만원쯤 더 못 빌려줄 것도 아니지요.

문제는, 저당권의 경우에는 이럴 때 1억원의 피담보채권으로 설정한 저당권을 취소하고, 새로 저당권을 1억 2천만원으로 설정하여야 한다는 것입니다. 많이 귀찮지요. 또, 철수가 찔끔찔끔 100만원, 500만원씩 더 빌리는 경우도 있을 텐데 그런 경우까지 저당권을 다시 설정하여야 하는 걸까요?

이와 같이 계속적인 거래관계에서는 '지금 당장 확정하기 힘든' 애매한 채권이 여러 번 발생할 수 있고, 그럴 때마다 저당권 설정계약을 새로 맺는 것은 너무나 불편합니다. 그래서, 사람들은 일정한 기간 동안 돈을 여러 차례 빌리거나 할 수 있도록 하고, 나중에 한꺼번에 계산에서 확정하는 방법을 생각하게 된 것입니다.

예를 들어 철수의 경우, 만약 자기가 얼마를 빌릴지 스스로도 자신이 없다면(?) 나부자에게 "2021년 12월 12일까지 최대 1억 5천만원까지 빌릴 수 있도록 해주세요. 대신 제 주택을 담보로 제공하겠습니다."라고 제안할 수 있는 것입니다.

나부자 입장에서도, 주택을 나중에 경매로 넘겨서 1억 5천만원 정도를 회수하는데 문제가 없다면 딱히 나쁘지 않은 조건이 될 것입니다. 이처럼 당사자 사이의 계속적인 거래관계로부터 발생하는 불특정채권을 어느 시기에 계산하여, 그때까지 확정된 채무를 일정한 한도액의 범위 안에서 담보하는 저당권을 근저당이라고 합니다.

근저당은 이처럼 현실적인 필요에 의해서 자연스럽게 생겨난 것이기 때문에, 처음에는 법률에 근거가 없었음에도 그냥 관행적으로 사용되어 왔었습니다. 그러던 것이, 현행 민법이 제정되면서 제357조에 정식으로 근저당 제도가 들어오게 되었고, 사람들도 이제는 순수한 저당권보다 근저당을 훨씬 많이 사용하게 된 것입니다.

이제 제357조제1항을 보겠습니다. 제1항에서는 그 담보할 채무의 최고액만을 정하고 채무의 확정을 장래에 보류하여 이를 설정할 수 있다고 하여 근저당을 설명하고 있고, 이 경우에는 그 확정될 때까지의 채무의 소멸 또는 이전은 저당권에 영향을 미치지 아니한다고 합니다. 제1항은 우리가 앞에서 살펴본 근저당권의 특징을 잘 나타내고 있습니다. 특정된 액수로 저당권을 설정하지 않고, 채무의 확정을 '장래에 보류'하며, 확정될 때까지는 채무가 생기거나 없어지더라도 근저당권 자체는 유효하게 존속하는(제1항 후단) 것입니다.

학자들은 저당권의 특징 중 하나로 부종성(附從性)을 꼽습니다. 한자를 직역하면 '옆에 붙는 성질' 정도인데, 저당권은 채권의 담보를 목적으로 하는 것으로서 채권이 존재하여야만 존재할 수 있는 것이며, 채권이 모종의 사유로 소멸하면 저당권도 함께 소멸한다는 것입니다. 이는 뒤에 공부할 제369조에서 설명되어 있습니다.

> 제369조(부종성) 저당권으로 담보한 채권이 시효의 완성 기타 사유로 인하여 소멸한 때에는 저당권도 소멸한다.

그런데 근저당권의 경우, 학자들은 이러한 부종성이 저당권에 비해서는 완화되었다고 평가합니다. 왜냐하면, 특정한 기간 동안의 채무의 성립과 소멸에도 불구하고 근저당권은 살아남기 때문입니다. 만약 저당권이었다면, 피담보채권이 소멸하면 당연히 저당권도 함께 소멸했겠지요. 하지만 근저당권의 경우 채무가 더 생기거나 소멸하더라도 사라지지 않습니다. 엄격한 부종성을 지닌 저당권과는 비교되는 특징이라고 기억해 주시면 되겠습니다.

근저당권이 성립하는 과정 자체는 사실 저당권과 크게 다르지 않습니다. 당사자 간에 계약을 맺고 '근저당권설정계약'을 하며, 이를 등기하면 됩니다. 다만, 근저당권의 경우에는 일반적인 저당권과는 달리 채권최고액을 반드시 정해서 등기도 해야 합니다.

채권최고액은 담보할 채권이 최대 얼마까지 인지 뜻하는 것(근저당권에 따라 담보되는 채권의 한도액)으로, 이것이 있어야 채무를 장래에 확정한다는 근저당권이 제대로 성립할 수 있습니다. 만약 채권최고액 없이 정해진 액수의 돈을 빌릴 거면, 그냥 저당권을 설정하면 되니까요.

*채권최고액의 의미는 근저당권설정자=채무자인 경우와 근저당권설정자=제3자(물상보증인)인 경우가 조금 다릅니다. 요약하자면, 근저당권설정자=채무자인 경우 실제 채권액이 채권최고액을 초과하는 경우

일지라도 그 채무의 일부인 채권최고액만을 변제하고 근저당권의 말소를 청구할 수는 없지만, 근저당권설정자=물상보증인인 경우에는 그것이 가능합니다. 즉, 전자의 경우 채권최고액이 우선변제권의 한도로서의 의미를 갖는 것에 불과하지만, 후자의 경우에는 최고액 범위 내의 채권에 한해서만 변제를 받을 수 있다는, 이른바 책임의 한도라는 의미까지 갖는다는 것입니다(배형원, 2019). 다만, 이 내용은 간단하게 말씀드릴 수 있는 범위를 넘는 것이어서 그냥 넘어가셔도 무방하고, 상세한 내용은 참고문헌을 참조하여 주시면 감사하겠습니다.

채무가 불확실한 근저당권에서, 어느 시점에서는 채무를 정산해서 총 얼마를 빌렸는지 계산해 보아야 할 겁니다. 철수가 1억 5천만원을 최고액으로 해서 나부자에게 돈을 빌리는데, 하루에 1원씩 빌리면서 1억 5천만년 동안 빌리도록 내버려 둘 수는 없겠지요. 그러니까 예를 들어 “철수가 나부자로부터 빌리는 돈은 1억 5천만원의 채권최고액 한도 내에서 2022년 1월 1일까지 빌린 돈으로 한다” 이런 식으로 정할 필요가 있는 겁니다. 이를 '근저당권의 확정'이라고 합니다.

그런데 모든 근저당설정계약에서 언제 채무가 확정될 것인지 결산기를 명확하게 따로 정하는 것은 아닙니다. 오히려 현실에서는 결산기를 따로 정하지 않는 근저당권도 있습니다. 그렇다면 결산기를 별도로 정하지 않고 계약이 이루어진 경우에는 어떤 방법으로, 무엇을 기준으로 근저당권을 확정해야 하는 걸까요?

우리의 판례는, "피담보채무는 근저당권설정계약에서 근저당권의 존속기간을 정하거나 근저당권으로 담보되는 기본적인 거래계약에서 결산기를 정한 경우에는 원칙적으로 존속기간이나 결산기가 도래한 때에 확정되지만, 이 경우에도 근저당권에 의하여 담보되는 채권이 전부 소멸하고 채무자가 채권자로부터 새로이 금원을 차용하는 등 거래를 계속할 의사가 없는 경우에는, 그 존속기간 또는 결산기가 경과하기 전이라 하더라도 근저당권설정자는 계약을 해제하고 근저당권설정등기의 말소를 구할 수 있고, 존속기간이나 결산기의 정함이 없는 때에는 근저당권설정자가 근저당권자를 상대로 언제든지 해지의 의사표시를 함으로써 피담보채무를 확정시킬 수 있으며, 이러한 계약의 해제 또는 해지에 관한 권한은 근저당부동산의 소유권을 취득한 제3자도 원용할 수 있다고 할 것이다."(대법원 2001. 11. 9. 선고 2001다47528 판결)라고 하여, 결산기를 따로 정하지 않은 경우에는 근저당권 설정자가 의사표시를 해서 채무를 확정시킬 수 있다고 합니다.

보통 은행에 가서 근저당권 설정하고 대출받으려고 하면, '지정형', '자동확정형', '장래지정형' 이런 식으로 설명을 해주면서 근저당권의 확정 시기를 어떻게 할 건지 정하고 계약서에 사인을 하게 될 겁니다. 지정형은 간단하게 그냥 몇 월 무슨 날에 근저당이 끝난다, 이렇게 정하는 거고요, 장래지정형이나 자동확정형은 계약일부터 예를 들어 3년이 경과하면 근저당권 설정자가 따로 서면으로 결산기를 정하게 해주는 방식인 건데, 자세한 내용은 각 은행에서 대출 상품 설명을 참고하시면 되겠습니다(대출 광고 아닙니다).

이제 제2항을 보도록 하겠습니다. 제2항에서는 "전항의 경우에는 채무의 이자는 최고액 중에 산입한 것으로 본다"라고 하는데요, 이것은 처음 빌린 돈 원금(원본) 뿐만 아니라 그에 따른 이자까지 채권 최고액에 포함된다는 것을 말합니다.

어제 처음 저당권에 대해 공부했는데, 바로 근저당에 대해서 공부하는 바람에 다소 생소한 부분이 있었을 것 같습니다. 민법의 조문 순서가 공부하는 사람들을 위해서 친절하게 작성되어 있지는 않기 때문인데요, 내일부터는 다시 저당권에 대해서 알아보도록 하겠습니다.

*참고문헌

김용덕 편집대표, 「주석민법 물권4(제5판)」, 한국사법행정학회, 2019, 57-58면(배형원).

第358条(저당권의 효력의 범위)

저당권의 효력은 저당부동산에 부합된 물건과 종물에 미친다. 그러나 법률에 특별한 규정 또는 설정행위에 다른 약정이 있으면 그러하지 아니하다.

오늘은 저당권의 효력이 어디까지 미치는지 보도록 하겠습니다. 제358조 본문은, 저당권의 효력이 저당부동산에 부합된 물건과 종물에 미친다고 합니다.

우리는 예전에 2개 이상의 물건이 합쳐졌을 때 이를 분석하는 개념으로서 '첨부'를 공부하고, 그 하위 개념으로서 부합, 혼화, 가공에 대해서 공부한 적이 있었습니다(민법 제256조~제261조). 부합이란 소유자가 다른 여러 물건이 결합하였는데 사회통념상 분리하기가 어렵거나 분리하는데 과다한 비용이 드는 경우, 하나의 물건으로 보아 한 사람에게 소유권을 몰아주는(?) 것이라 설명했었습니다. 기억이 잘 안 나시는 분들은 복습하고 오셔도 좋습니다.

> 第256条(부동산에의 부합) 부동산의 소유자는 그 부동산에 부합한 물건의 소유권을 취득한다. 그러나 타인의 권원에 의하여 부속된 것은 그러하지 아니하다.

그럼 저당권의 '효력이 미친다'라는 것은 구체적으로 어떤 의미일

까요? 생각해보면, 저당권이라고 하는 게 빌린 돈을 갚지 않을 경우 저당권이 걸려 있는 부동산을 팔아 치워서(처분) 그 돈으로 채권을 회수하는 것인데, 어떤 물건 A에 저당권의 효력이 미친다는 것은 그 물건 A도 함께 팔아 치워지고(?) 그 돈도 채권의 만족에 쓰인다는 것입니다. 단순하게 표현하면, 묶어서 세트로 팔아 버린다는 거지요. 따라서 저당권의 효력이 미치는지 여부는 어떤 물건이 나중에 처분 대상이 될 것인지 아닌지를 결정하는 것으로서 매우 중요한 문제라고 하겠습니다.

예를 들어 보겠습니다. 철수가 돈이 급해서, 이웃의 나부자에게 돈 1억원을 빌리면서 자신의 주택에 저당권을 설정해 주었다고 합시다. 그런데 철수네 집은 사실 철수의 절친한 친구인 영희가 사비를 들여 테라스를 증축해준 적이 있다고 하겠습니다. 테라스 증축 부분은 따로 분리하기 어렵습니다(라고 가정합니다)

그러면 나중에 철수가 1억원을 못 갚아서 그 집이 경매에 넘어가는 경우, 영희는 자신이 증축한 테라스 부분은 경매에 넘겨서는 안 된다고 주장할 수 있을까요? 없습니다. 왜냐하면 증축된 부분도 저당부동산(철수네 집)에 부합된 것으로 저당권의 효력이 미치는 범위에 포함되기 때문입니다. 영희 입장에서는 조금 억울할 수도 있겠네요.

또한, 제358조는 부합된 물건뿐만 아니라 종물에도 저당권의 효력이 미친다고 합니다. 종물의 개념에 대해서는 우리가 [민법총칙]

편에서 공부한 적이 있었습니다. 종물은 어떤 물건의 소유자가 자기 소유의 다른 물건을 가져다 붙인 것입니다.

제100조(주물, 종물) ①물건의 소유자가 그 물건의 상용에 공하기 위하여 자기소유인 다른 물건을 이에 부속하게 한 때에는 그 부속물은 종물이다.
②종물은 주물의 처분에 따른다.

종물과 부합물은 비슷해 보이지만 서로 다른 개념이므로, 헷갈리지 않도록 주의하여야 합니다. 부합물은 서로 소유자가 '다른' 물건 A, B이 합쳐져서 나누기 어려우므로 어쩔 수 없이 1개의 물건으로 치는 것인데, 종물은 주물에 딸린 물건으로서 애초에 소유자가 같은 물건 a, b가 부속되어 있는 것이고 1개의 물건으로 치는 것이 아니라 여전히 2개의 물건으로 카운트합니다. 즉, 종물은 부합물과 달리 주물에 대하여 독립성을 갖고 있다는 차이점이 있습니다.

예를 들어, 우리의 판례는 주유소의 지하에 매설된 유류저장탱크의 경우 토지에 부합되어 있다고 판단하였지만, 주유소의 주유기의 경우에는 주유소건물의 상용에 공하기 위하여 부속시킨 종물이라고 보아 서로 구별하였던 바 있으니 참고하시기 바랍니다(대법원 1995. 6. 29. 선고 94다6345 판결).

따라서 주유소에 저당권을 설정하였다면, 주유소에 딸린 유류저장탱크는 부합물로서 저당권의 효력이 미치고, 주유소 옆에 딸린 주유기(주유소 주인이 직접 설치한 것)는 종물로서 저당권의 효력이 미치게 되는 것입니다. 둘 다 저당권의 효력이 미치게 된다는 점은 동일하지만, 결론에 이르는 과정이 다르므로 구별해서 공부할 필요가 있지요.

마지막으로 제358조 단서를 보면, 법률에 특별한 규정이나 (저당권)설정행위에 다른 약정이 있는 경우에는 부합물이나 종물이라고 하더라도 저당권의 효력이 미치지 않는다고 보고 있습니다.

예를 들어 주유소 사장이 주유소에 저당권을 설정하고 돈을 빌리더라도, 빌려주는 사람과 합의만 잘하면 저당권설정계약서에 "유류저장탱크는 부합물이기는 하지만 이 계약에서는 저당권의 효력이 미치지 않는 것으로 한다" 이런 식으로 써넣을 수 있을 것입니다. 반대로 해석하면, 부합물이나 종물에 굳이 해당하지 않더라도 저당권의 효력이 미치는 것으로 계약서에 써넣을 수도 있겠지요(김용덕, 2019).

"법률에 특별한 규정이 있는 경우"는 대표적으로 앞서 살펴본 민법 제256조 단서를 생각해 볼 수 있을 겁니다. 왜냐하면 제256조 단서에서는 타인의 권원(지상권, 전세권, 임차권 등)에 의하여 부속된 것은 부합물로 치지 않는다고 했는데, 이에 해당한다면 애초부터 '부합물'로 볼 수 없으므로 당연히 제358조에 따른 부합물에 대한 법리도 적용할 수 없을 것이니까요. 그 외에 「공장 및 광업재단 저당법」이나 「수산업법」 같은 법률에서도 따로 저당권의 효력에 대해 규정하고 있는 사례가 있는데, 여기서 다 설명하기엔 내용이 길어 해당 법률을 참고하여 주시기 바랍니다.

오늘은 저당권의 효력 범위에 대하여 알아보았습니다. 내일은 저당권의 과실에 대한 효력을 살펴보도록 하겠습니다.

*참고문헌

김용덕 편집대표, 「주석민법 물권4(제5판)」, 한국사법행정학회, 2019, 84면(배형원).

제359조(과실에 대한 효력)

저당권의 효력은 저당부동산에 대한 압류가 있은 후에 저당권설정자가 그 부동산으로부터 수취한 과실 또는 수취할 수 있는 과실에 미친다. 그러나 저당권자가 그 부동산에 대한 소유권, 지상권 또는 전세권을 취득한 제삼자에 대하여는 압류한 사실을 통지한 후가 아니면 이로써 대항하지 못한다.

오늘 공부할 제359조 본문에서는, 저당권의 효력이 압류 후에 저당권 설정자가 그 부동산으로부터 수취한 과실, 또는 수취할 수 있는 과실에도 미친다고 합니다. '과실'이라는 개념은 우리가 이미 [민법총칙]에서 공부한 적이 있습니다.

우리는 과실을 "물건에서 생기는 이익"으로 공부하고, 천연과실과 법정과실에 대해 나누어 살펴보았습니다(민법 제101조). 천연과실은 원물의 경제적 용도에 따라 얻어지는 것(예: 젖소로부터 나온 우유), 법정과실은 물건의 사용대가로 받는 것(예: 이자나 월세)이라고 했었지요. 또한, 천연과실은 그 원물로부터 분리되는 때에 수취권을 가진 자에게 속하고, 법정과실은 수취권의 존속기간 일수의 비율로 취득한다고 했었습니다. 상세한 내용은 [민법총칙] 편을 참고해 주시기 바랍니다.

제101조(천연과실, 법정과실) ①물건의 용법에 의하여 수취하는 산출물은 천연과실이다.

②물건의 사용대가로 받는 금전 기타의 물건은 법정과실로 한다.

제102조(과실의 취득) ①천연과실은 그 원물로부터 분리하는 때에 이를 수취할 권리자에게 속한다.

②법정과실은 수취할 권리의 존속기간일수의 비율로 취득한다.

예를 들어 보겠습니다. 철수는 사업을 하다가 돈이 좀 궁하게 되어서, 자신이 갖고 있는 아파트에 저당권을 걸고 나부자로부터 돈을 빌렸습니다. 그런데 저당권의 특성상 저당권 설정자인 철수가 아파트를 계속 쓸 수 있기 때문에, 철수는 최임차라는 사람에게 아파트를 빌려주고, 월세를 받기로 합니다.

이렇게 되면 사안에서 지금 2개의 계약이 있습니다. 하나는 저당권설정계약으로 철수-나부자 사이에 체결한 것이고요, 다른 하나는 임대차계약으로 철수-최임차 사이에 체결한 것입니다. 그리고 저당부동산은 철수의 아파트이며 그 아파트로부터 나오는 월세(철수가 최임차로부터 받는 것)는 민법상 법정과실에 해당할 것입니다.

이런 상황에서 시간이 흘러 철수는 끝내 나부자로부터 빌린 돈을 갚지 못하고, 나부자는 자신의 돈을 회수하기 위해 철수의 아파트를 경매에 넘겨 버립니다. 전에 [민법총칙] 등 몇 군데에서 설명드렸던 바 있지만, 경매신청이 있게 되면 법원은 제출된 서류 등을 심사해서 경매개시결정을 하게 되는데요, 이 결정이 나게 되면 법원에서는 목적부동산(사안에서는 철수의 아파트)에 압류를 걸어 버립니다(「민사집행법」 제83조). 이때 압류를 거는 이유 중 하나는 철수가 함부로 팔아 치우지 못하도록 하려는 데 있습니다. 경매가 시작되었는데도 철수가 아파트를 마음대로 팔아 버린다면, 나부자 입장에서는 자신의 돈을 회수하기 어려워질 테니까요.

민사집행법
제83조(경매개시결정 등) ①경매절차를 개시하는 결정에는 동시에 그 부동산의 압류를 명하여야 한다.
②압류는 부동산에 대한 채무자의 관리·이용에 영향을 미치지 아니한다.

사안을 바탕으로 제359조를 다시 써보면, 저당부동산(철수의 아파트)에 대한 압류가 있은 후(나부자가 신청한 경매로 인한 압류 이후), 저당권설정자(철수)가 그 부동산으로부터 수취한 과실 또는 수취할 수 있는 과실(최임차로부터 받을 수 있는 월세)에도 저당권의 효력이 미친다는 것입니다.

*다만, 제359조에서의 '과실'에 천연과실 외에 법정과실도 포함되는 것으로 해석해야 하는지에 대해서는 학설의 논란이 있습니다. 하지만 다수설에서는 법정과실도 포함된다고 보기 때문에, 여기서는 다수설의 논리에 따라 전개하도록 하겠습니다(박동진, 2022). 학설의 논의에 대해서는 참고문헌을 참조하여 주세요.

그런데 왜 이런 규정을 두고 있는 걸까요? 제359조와 같은 조문이 있어야 할 이유는 무엇일까요?

원론으로 돌아가서 다시 생각해 봅시다. 원칙적으로는, 부동산에서 나오는 과실은 저당권 설정자가 가져가는 것이 맞을 겁니다. 왜냐하면, 저당권은 점유를 하지 않는 담보권으로써 교환가치를 지배하는 것일 뿐, 부동산의 사용가치를 노리는 것은 아니기 때문이지요.

그런데 이런 원칙만 고수하다 보면 문제가 생길 수 있습니다. 제359조 본문과 같은 규정이 없다고 생각해 볼까요? 그러면 철수(저당권설정자)의 입장에서는, 자기가 나부자에게 돈을 안 갚아서 아파트가 경매로 넘어가더라도, 어떻게든 경매를 계속 지연시키면서 월세라도 더 받아내려는 욕심이 생길 수 있습니다. 어차피 자기 아파트는 경매에서 누군가에게 팔려나갈 텐데, 그전까지 월세라도 한 푼 더 받으면 살림살이에 도움이 되니까요. 그래서 경매절차를 어떻게든 지연시키려고 할 수도 있는 겁니다.

하지만 제359조의 존재로 인하여 압류 후에는 과실에도 저당권의 효력이 미치기 때문에, 철수 입장에서는 더 이상 경매절차를 지연시킬 이유가 없게 됩니다.

이제 제359조 단서를 봅시다. 여기서는 "저당권자가 그 부동산에 대한 소유권, 지상권 또는 전세권을 취득한 제삼자에 대하여는 압류한 사실을 통지한 후가 아니면 이로써 대항하지 못한다"라고 합니다. 이 단서 규정은, 제3자를 보호하기 위한 규정입니다. 왜 그럴까요?

예를 들어 봅시다. 이번에는 영희입니다. 영희는 자신의 땅(이번에는 건물이 아니라 토지입니다)에 저당권을 설정하고, 나부자로부터 돈을 빌렸습니다. 그리고 김지상이라는 사람에게 지상권을 설정해 주고 땅세를 받았다고 합시다. 그리고 이후, 영희는 나부자에게 돈을 갚지 않아 영희의 땅은 압류되었습니다.

제359조 본문에 따를 경우, 압류 후의 (법정)과실은 저당부동산의 소유자(영희)가 수취해서는 안됩니다. 그럼 지상권자(김지상)는 어떻게 해야 하느냐? 부동산이 압류된 이후에는 저당부동산 소유자에게 지료를 변제해서는 안 되며, 필요한 경우 공탁을 해야 할 것입니다(민법 제487조).

문제는 김지상이 경매가 시작되었는지 아닌지를 알 길이 없다는 겁니다. 경매가 시작되면 법원에서 김지상 같은 지상권자에게 압류 사실을 꼭 알려 주도록 하는 절차도 없으니까요. 그렇다면 김지상 입장에서는 멋모르고 늘 해오던 대로 영희에게 땅세를 변제하게 될 위험성이 높습니다.

*다만, 소유권을 취득한 제3자의 경우에는 경매개시결정이 송달된다고 합니다. 그 경우에는 제359조 단서가 큰 의미를 갖지는 못할 것입니다

(배형원, 2019).

만약 제359조 단서와 같은 규정이 없다면, 나중에 저당권자인 나부자가 김지상을 찾아와서 저당권의 효력이 땅세에도 미친다고 주장할 것입니다. 이렇게 되면 법률관계가 복잡해지게 됩니다.

결국 제359조 단서는, 지상권자나 전세권자 등과 같은 제3자가 예상하지 못한 피해를 보지 않도록, 제3자를 보호하고자 하는 취지에서 만들어진 조항인 것입니다.

오늘은 저당권의 효력이 과실에 미치는지, 대항요건은 무엇인지 알아보았습니다. 전에 공부했던 과실의 개념, 대항력의 개념 등이 섞여서 나오기 때문에, 기억이 잘 안 나시는 분들은 꼭 복습을 하신 후 읽어 보시기를 추천드립니다.

내일은 피담보채권의 범위에 대하여 공부하겠습니다.

*참고문헌

김용덕, 주석민법[물권(4)], 한국사법행정학회, 제5판, 2019, 87면(배형원).

박동진, 「물권법강의(제2판)」, 법문사, 2022, 463면.

제360조(피담보채권의 범위)

저당권은 원본, 이자, 위약금, 채무불이행으로 인한 손해배상 및 저당권의 실행비용을 담보한다. 그러나 지연배상에 대하여는 원본의 이행기일을 경과한 후의 1년분에 한하여 저당권을 행사할 수 있다.

오늘 공부할 제360조는 저당권의 피담보채권의 범위에 대해 설명하고 있습니다. 그런데 우리는 질권 파트에서 이와 유사한 규정을 한번 본 적 있었습니다. 바로 민법 제334조입니다. 그때 공부하기를, 질권은 원본, 이자, 위약금, 질권 실행비용, 질물보존비용, 채무불이행 또는 질물 하자로 인한 손해배상채권까지 담보한다고 공부하였습니다. '피담보채권의 범위'에 포함된다는 것은 담보에 따라 우선변제를 받을 수 있는 채권의 범위에 포함된다는 것을 뜻합니다.

제334조(피담보채권의 범위) 질권은 원본, 이자, 위약금, 질권실행의 비용, 질물보존의 비용 및 채무불이행 또는 질물의 하자로 인한 손해배상의 채권을 담보한다. 그러나 다른 약정이 있는 때에는 그 약정에 의한다.

제360조는 저당권이 원본, 이자, 위약금, 저당권 실행비용, 채무불이행으로 인한 손해배상채권까지 담보한다고 정하고 있습니다. 제344조와 비교해 보면, 원본, 이자, 위약금, (질권 또는 저당권의) 실행비용, 채무불이행에 따른 손해배상까지 동일하다는 것을 알 수 있습니다. 같은 부분에 대해서는 제344조에서의 설명을 참조하여

주시면 되겠습니다.

그럼 다른 부분은 뭘까요? 지금부터 제344조에 비하여 제360조가 다른 부분을 중심으로 하나씩 살펴보도록 하겠습니다.

1. 보존비용

질권의 경우 보존비용이 피담보채권에 포함되지만, 저당권의 경우는 그렇지 않습니다. 왜 그럴까요? 이유는 간단합니다. 질권의 경우, 질물을 질권자가 '점유'하기 때문에 점유에 따른 보존비용이 발생하였지요. 하지만 저당권의 경우 저당부동산을 저당권자가 점유하지 않습니다. 따라서 보존비용을 피담보채권에 포함시킬 필요가 없는 것입니다.

2. 하자로 인한 손해배상

하자에 따른 손해배상은 왜 제360조에서 빠졌을까요? 위에서와 유사한 이유 때문입니다. 저당권의 경우 목적물을 저당권자가 점유하는 것이 아니기 때문에, 목적물의 하자로 인하여 저당권자가 손해를 입을 일이 없다고 할 수 있습니다. 그래서 하자로 인한 손해배상도 피담보채권의 범위에 포함되지 않는 것이지요.

3. 지연배상

제360조 단서를 보시면, 제334조에서는 볼 수 없었던 문장이 나옵니다. 사실, '지연배상'이라는 단어 자체가 민법에서 처음 등장하는 단어입니다. 지연배상이란 무엇이고, 제360조는 왜 이런 규정을 두고 있는 걸까요?

우리가 나중에 채권법 파트에서 본격적으로 공부하겠지만, 그냥 넘어가기는 힘드니 여기서 간단하게나마 소개를 드리도록 하겠습니다. 손해배상에는 2가지가 있습니다. 손해배상에는 2가지가 있습니다. 하나는 지연배상(遲延賠償)이고, 다른 하나는 전보배상(塡補賠償)입니다.

우리가 흔히 뭔가 늦어지게 되면 "지연된다"라고 하지요? 지연배상이란, 채무자가 채무의 이행을 지체하여 발생하는 손해를 배상한다는 뜻입니다.

예를 들어 1월 1일에 갚기로 한 돈을 1년 늦게 갚는다면, 채권자 입장에서는 돈을 놀릴 수 없게 되어 손해를 보게 되겠지요. 사실 나중에 채권법에서 공부할 이행지체의 경우 지연배상이 주로 문제가 됩니다. 따라서 채권자는 원래 채무의 이행과 함께 지연배상을 함께 청구할 수 있습니다.

지연배상은 이자와는 또 다른 것입니다. 예를 들어 1억원을 빌려주면서 이자를 연 10%로 하고 1년 뒤에 갚기로 했습니다. 그런데 변제기로부터 1년이 지났음에도(총 2년이 흐름) 갚지 않았다고 해봅시다. 그러면 원본은 1억원, 이자는 10%로 1,000만원입니다. 거기에 추가로 1년 동안의 지연배상이 붙습니다. 지연배상은 원본과 이자에 각각 다시 붙습니다. 원본에 대해 10%로 계산해서(왜 10%인지는 나중에 제397조에서 공부하도록 하겠습니다) 1,000만원, 그리고 이자에 대해 10% 쳐서 100만원입니다. 다 합치면 그러니까 1억 2,100만원이 되겠습니다.

전보배상이란, 이행에 갈음하는(이행을 대신하여) 손해의 배상을 말하는 것으로, 한자로 '전보'(塡補)는 부족한 것을 채워 메꾼다는 의미를 갖고 있습니다.

예를 들어 채무이행 자체가 채무자의 잘못으로 불가능해지거나(이행불능), 아니면 채무이행이 너무 늦어져서(이행지체) 이제는 채무를 원래대로 이행한다고 해도 채권자 입장에서는 의미가 없는 경우, 채권자 입장에서는 원래의 채무이행을 오히려 거절하고 그냥 돈으로 달라고(...) 요구할 수도 있을 겁니다. 이런 유형의 배상을 전보배상이라고 합니다. 즉, 이행될 급부의 가치를 금전으로 환산하여 같은 금액의 금전으로 배상하는 것이라고 할 수 있지요(박시환, 2012).

*이행지체로 인한 전보배상의 청구 시에 지연배상도 함께 청구할 수 있는지의 문제에 대해서는 채권법에서도 다룰 예정이나, 궁금하신 분들은 아래 참고문헌(박시환, 2012)을 참조하여 주시기 바랍니다.

이제 제360조 단서를 봅시다, 지연배상에 대하여는 원본의 이행기일을 경과한 후의 1년분에 한하여 저당권을 행사할 수 있다고 규정하고 있습니다. 즉, 쉽게 생각하면 이행을 늦게 함으로써 발생하는 이자의 경우, 1년까지만 저당권으로 보호해준다는 건데요. 왜 이런 규정을 두는 걸까요?

예를 들어 보겠습니다. 철수가 나부자에게 1억원을 빌리고, 2024년 1월 1일에 갚기로 약정하였습니다. 그리고 담보로 철수의 집에 저당권을 설정하였습니다. 만약 2024년 1월 1일에 철수가 돈을 갚지 않는다면, 나부자(저당권자)는 저당권을 실행시켜 철수의 집을 경매에 넘기고 그 집을 판 돈을 받아가면 됩니다.

그런데 만약 나부자가 나쁜 마음을 먹는다고 생각해 봅시다. 이런 논리를 펼칠 수 있습니다. "민법 제360조 본문에 따르면 채무불이행으로 인한 손해배상도 저당권으로 담보할 수 있지. 그러면 2024년 1월 1일부터는 철수가 내게 돈을 갚지 않아서 발생하는 [지연이자]도 저당권으로 보호가 된단 말이야. 그렇다면, 내 입장에서는 저당권을 최대한 늦게 실행할수록 지연이자가 더 붙어서 이득이 되겠군?"

따라서, 저당권자인 나부자 입장에서는 2024년 1월 1일 이후로는 저당권을 충분히 실행할 수 있음에도 불구하고 일부러 저당권을 늦게 신청하여, 철수의 집이 팔렸을 때 받아낼 수 있는 돈을 더 늘릴 유인이 발생하는 것입니다.

예를 들어 집이 1억 2천만원에 팔릴 경우, 지연이자가 100만원이라고 하면 나부자는 1억원+100만원을 받아가지만 지연이자가 1,000만원이라고 하면 1억원+1,000만원을 받아갈 수 있게 됩니다(경매비용 등은 고려하지 않는 것으로 가정하겠습니다).

문제는 이렇게 되면 후순위 저당권자(철수에게 나부자 이후에 돈을 빌려준 사람) 등 다른 채권자들이 예측하지 못한 피해를 입을 수 있다는 것입니다. 예를 들어 나부자의 뒤에 철수에게 또 돈을 빌려준 사람(2순위 저당권자)이 있는데, 이 사람이 철수에게 원래 빌려준 돈이 5천만원이라고 해봅시다. 그러면 집이 경매에서 1억 2천만원에 팔렸다고 할 때, 나부자가 1억 100만원을 가져가면 그 사람은 1,900만원이라도 챙길 수 있지만 나부자가 1억 1,000만원을 가져가면 1,000만원밖에 못 가져가는 상황이 벌어집니다.

이처럼 다른 채권자들을 보호하기 위하여 우리 민법은 제360조에 단서를 두어, 지연배상의 경우 최대 1년까지만 저당권으로 담보되는 것으로 정하고 있는 것입니다.

다만 조문의 해석에서 주의할 것이 있습니다. 제360조 단서는 "저당권의 실행절차에서 저당권자가 우선변제받을 수 있는 한도"가 1년분으로 한정된다는 것을 의미합니다. 즉, 채무자와의 관계에서 채권자(저당권자)의 피담보채권 자체가 1년분으로 제한된다는 뜻은 아닙니다(양창수·김형석, 2023).

예를 들어 2년분의 지연배상이 쌓여 있으면, 채무자는 그걸 모두 갚아야 저당권을 없애달라고(말소) 청구할 수 있습니다. 1년치만 갚는다고 해서 저당권을 없앨 수 있는 건 아닌 겁니다.

판례도 "저당권의 피담보채무의 범위에 관하여 민법 제360조가 지연배상에 대하여는 원본의 이행기일을 경과한 후의 1년분에 한하여 저당권을 행사할 수 있다고 규정하고 있는 것은 저당권자의 제3자에 대한 관계에서의 제한이며 채무자나 저당권설정자가 저당권자에 대하여 대항할 수 있는 것이 아니다"라고 합니다(대법원 1992. 5. 12. 선고 90다8855 판결).

이러한 논리에 따르면 제360조 단서는 제3자를 보호하기 위한 규정이므로, 만약 제3자가 존재하지 않는 경우에는 적용되지 않습니다. 예를 들어 후순위 저당권자도 없고 다른 일반채무자도 아무도 없다면, 저당권자는 (부동산을 경매에 넘겨서) 그냥 2년치, 3년치 지연배상을 모두 우선변제로 받아갈 수 있는 것입니다.

오늘은 저당권으로 담보되는 피담보채권에 어디까지 포함되는지 알아보았습니다. 내가 가진 저당권을 실행해서 얼마를 우선변제 받을 수 있느냐, 이것은 채권자 입장에서는 굉장히 중요한 문제이므로 피담보채권의 범위를 정하는 것은 큰 의미가 있다고 하겠습니다.

내일은 저당권의 처분제한에 대해 공부하겠습니다.

*참고문헌

박시환, “계약 해제의 효과-중도금 지급 지연에 따라 지급한 이자를 해제의 원상회복으로 반환할 것인지(대법원 2009. 1. 30. 선고 2007다82226 판결과 관련하여)”, 인하대학교 법학연구소, 법학연구15(3), 2012, 467-468면.

양창수·김형석, 「권리의 보전과 담보(제5판)」, 박영사, 2023, 419면.

제361조(저당권의 처분제한)

저당권은 그 담보한 채권과 분리하여 타인에게 양도하거나 다른 채권의 담보로 하지 못한다.

제361조를 보겠습니다. 저당권은 '그 담보한 채권'(피담보채권이라는 뜻입니다)과 분리하여 타인에게 양도하거나 다른 채권의 담보로 하지 못한다고 합니다.

우리가 앞서 공부하였듯이, 저당권은 본질적으로 담보물권으로서, 어떤 채권의 변제를 든든하게 뒷받침해 주기 위해 존재하는 것입니다. 따라서 저당권은 원칙적으로 피담보채권과 분리될 수 없다는 것입니다. 이처럼 피담보채권의 이전에 따라 저당권도 함께 이전된다는 성질을 저당권의 수반성(隨伴性)이라고 합니다. 한자를 직역하면, 짝이 되어서 따라다니는 성질이라는 거지요. 수반성은 저당권 외에도 담보물권 전반에 공통적으로 나타나는 성질입니다.

예를 들어, 철수가 나부자에게 1억원의 돈을 빌리면서 자신의 토지에 저당권을 설정하여 주었다고 합시다. 그런데 나부자가 그 저당권만을 떼어내서 남한테 팔 수 있을까요? 안됩니다. 원칙적으로 무효입니다. 피담보채권과 저당권은 떼어서 생각할 수 없기 때문입니다. 한번 그런 상황을 상상해 보시면, 나중에 철수가 누구한테 돈을 갚아야 하는지, 저당권은 어떻게 처리해야 하는지 논리가 꼬이게 된다는 것을 아실 수 있을 겁니다. 파는 것 외에도 제361조에 따르면 저당권을 따로 분리해서 다른 채권의 담보로 하는 것도 안 된다고 하고 있습니다. 수반성의 성질에 따르면 자연스러운 결론입니다.

다만, 주의할 것이 있습니다. 위에서 말한 수반성은 '원칙적'으로 지켜져야 한다는 것이지, 항상 100% 피담보채권과 담보물권이 늘 따라다닌다는 의미까지는 아닙니다. 즉 '특별한 사정'이 있는 경우라면 피담보채권이 담보권과 떨어져 따로 처분될 수도 있습니다.

그런 특별한 사정이란 어떤 것들이 있을까요? 대표적으로 저당권을 설정할 때 당사자끼리 특약을 걸어, 수반성을 배제하는 것으로 정하는 예를 생각해 볼 수 있을 것입니다(임의규정). 특약으로 수반성을 없애기로 정해졌다면, 채권의 양도에 따라 저당권은 소멸하게 될 것입니다. 다른 사례도 있습니다. 학계의 통설은 물상보증인이 저당권을 설정해준 경우에는 그 사람의 동의 없이는 저당권이 수반되지 않는다고 보고 있습니다(박동진, 2022).

우리의 대법원은 "담보권의 수반성이란 피담보채권의 처분이 있으면 언제나 담보권도 함께 처분된다는 것이 아니라 채권담보라고 하는 담보권 제도의 존재 목적에 비추어 볼 때 특별한 사정이 없는 한 피담보채권의 처분에는 담보권의 처분도 당연히 포함된다고 보는 것이 합리적이라는 것일 뿐이므로, 피담보채권의 처분이 있음에도 불구하고, 담보권의 처분이 따르지 않는 특별한 사정이 있는 경우에는 채권양수인은 담보권이 없는 무담보의 채권을 양수한 것이 되고 채권의 처분에 따르지 않은 담보권은 소멸한다."라고 하고 있으니, 참고삼아 한번 읽어 보시기 바랍니다(대법원 2004. 4. 28. 선고 2003다61542 판결).

오늘은 저당권의 처분제한, 수반성에 대해서 알아보았습니다. 내일은 저당물의 보충에 대해 공부하도록 하겠습니다.

*참고문헌

박동진, 「물권법강의(제2판)」, 법문사, 2022, 445면.

제362조(저당물의 보충)

저당권설정자의 책임있는 사유로 인하여 저당물의 가액이 현저히 감소된 때에는 저당권자는 저당권설정자에 대하여 그 원상회복 또는 상당한 담보제공을 청구할 수 있다.

지금까지 우리가 공부하고 있는 저당권은, 당연한 이야기지만 담보물권입니다. 결국 피담보채권이 나중에 우선변제를 받을 수 있도록 하기 위하여 존재하는 것이 저당권이라는 것이지요. 그런데 이런 저당권의 목적이 되는 목적물이 가치의 손상을 입게 되면 어떻게 될까요?

예를 들어 나부자가 철수에게 1억원을 빌려주면서 그의 주택에 저당권을 걸게 했다면, 그건 나부자가 생각하기에 철수의 집이 최소 1억원 정도의 가치는 된다고 판단하기 때문일 겁니다. 천만원짜리 집에 저당권을 확보하면서 1억원을 빌려주는 자선사업가는 별로 없을 테니까요. 그런 자선사업가면 애초에 담보를 요구하지도 않을 겁니다.

그런데 철수가 어느 날 직장에서 기분이 안 좋았다는 이유로, 망치로 자신의 집 벽을 때려 부숴 버렸다고 합시다. 내가 내 집 부수는데 무슨 상관이냐, 라고 철수는 생각하겠지만 나부자 입장에서는 다릅니다. 벽이 부서짐으로써 주택의 가치가 1억원에서 5천만원으로 줄어들었다면, 나부자 입장에서는 나중에 철수가 1억원의 돈을 갚지 않을 경우 그 주택을 경매에 넘기더라도 회수할 수 있는 금액이 줄어들게 되는 것이기 때문에 큰 문제가 생기는 겁니다. 이와 같이, 저당권자의 담보가치를 위태롭게 하는 것, 즉 저당권자가 저당목적물의 교환가치로부터 우선변제를 받는 것을 위태롭게 하는 모든 행위를 '저당권의 침해'라고 부릅니다(배형원, 2019).

우리 민법은 이러한 저당권의 침해에 대하여 저당권자의 입장에서 대응할 수 있는 몇 가지 방법(구제수단)을 마련하고 있습니다. 하나씩 간단히 살펴보도록 하겠습니다.

①우리가 예전에 공부한 소유권에 기한 방해제거청구권과 방해예방청구권(제214조)를 이용할 수 있는데, 해당 조문을 제370조에서 준용하고 있기에 가능한 것입니다.

②또, 일반적인 민법의 손해배상 원칙에 따라 불법행위에 기한 손해배상청구권을 행사할 수도 있습니다(제750조). 위 사례에서 저당권이 원래대로 실행되었다면 나부자가 우선변제를 받을 수 있었던 돈이 1억원인데, 철수의 파괴적 행위(?)로 인해 부동산으로부터 얻어낼 수 있는 돈이 5천만원으로 감소하였다고 한다면, 나부자가 입게 된 손해는 5천만원이라고 할 수 있겠지요.

③그리고 전에 총칙에서 공부하였던, 기한의 이익의 상실을 주장하여 저당권자가 즉시 변제를 청구하는 방법도 있습니다(제388조). 이것도 나중에 살펴볼 것입니다.

④드디어 마지막 방법으로, 저당권의 침해에 대하여 저당물의 보충을 요구할 수 있는데 이것이 바로 오늘 공부할 제362조의 내용입니다. 이하에서 살펴봅니다.

제362조는 저당권설정자의 책임있는 사유로 인하여 저당물의 가액이 현저히 감소된 때에는 저당권자는 저당권설정자에 대하여 그 원상회복 또는 상당한 담보제공을 청구할 수 있다고 정합니다.

위의 사례에서는 철수(저당권설정자)의 책임 있는 사유(철수가 고의 또는 과실로 한 것)로 주택(저당물)의 가액이 현저히 감소하였습니다. 이에 나부자(저당권자)는 철수에 대하여 주택의 원상회복이나, 또는 그에 상당하는 다른 담보를 제공할 것을 요구할 수 있는 겁니다. 이것을 저당물보충청구권이라고 합니다.

다만, 여기서 주의할 것이 있습니다. 제362조에서는 '책임 있는 사유'라고 했으므로, 철수(저당권설정자)의 고의나 과실이 있어야 한다는 겁니다. 철수가 주택 관리를 위해서 정말 노력을 다 하였는데도 갑자기 하늘에서 벼락이 떨어져 주택의 가치가 손상되었다면(불가항력), 나부자에겐 제362조의 저당물보충청구권이 성립하지 않을 것입니다. 그런 불가항력이라면 나부자 입장에서는 그냥 저당물의 가치 하락을 받아들일 수밖에 없을 것입니다. 예외적으로 보험금 등에 대해서 물상대위가 인정될 수도 있는데, 이 부분은 나중에 공부할 내용이므로 여기서는 일단 지나가도록 하겠습니다.

오늘은 저당물보충청구권에 대해 알아보았습니다. 내일은 저당권자의 경매청구권과 경매인에 대하여 살펴보도록 하겠습니다.

*참고문헌

김용담 편집대표, 「주석민법 물권4(제5판)」, 한국사법행정학회, 2019, 106-107면(배형원).

제363조(저당권자의 경매청구권, 경매인)

①저당권자는 그 채권의 변제를 받기 위하여 저당물의 경매를 청구할 수 있다.

②저당물의 소유권을 취득한 제삼자도 경매인이 될 수 있다.

제363조제1항을 보겠습니다. 저당권자는 그 채권의 변제를 받기 위하여 저당물의 경매를 청구할 수 있다는 내용입니다. 이 부분은 사실 지금까지 공부하면서 자연스럽게 살펴보았던 내용이기도 합니다. 경매의 개념과 절차에 대해서는 앞서 공부하였으므로, 여기서는 상세히 말씀드리지 않도록 하겠습니다. 어쨌건 저당권자 입장에서는 자기가 빌려준 돈을 기일이 지났는데도 받지 못한다면, 당연히 저당물을 경매에 넘겨서 팔아 치우고 그 돈으로 자신의 채권을 만족시켜야 할 것입니다.

바꿔 말하면, 경매에 넘기려면 일단 변제기가 지나야 된다는 것을 알 수 있습니다. 3월 1일까지 갚기로 했는데, 2월 25일에 집을 경매에 넘겨 버리는 것은 오히려 채무자 입장에서 억울한 일이 될 테니까요. 3월 1일까지 기다리기로 했으면 기다려야 하는 것입니다. 즉 저당권자는 변제기가 도래하기 전에 경매를 신청할 수 없다는 것인데, 나중에 채권법에서 따로 공부하겠지만 이를 "저당권 실행을 위해서는 피담보채권이 이행지체에 있어야 한다"라고 표현하기도 합니다.

다음으로 제2항을 봅시다. 여기서는 저당물의 소유권을 취득한 제3자도 경매인이 될 수 있다고 합니다. 이건 무슨 말일까요? 예를 들어 보겠습니다.

벌써 몇 번째 급전이 필요한지 모를 철수는 오늘도 돈이 쪼들려서, 옆집의 나부자에게 돈을 빌리러 갔습니다. 예상하시는 바대로 철수는 자신의 집을 저당 잡히고 1억원을 빌리기로 했고, 나부자에게 저당권을 설정하여 주었습니다(저당권 설정등기도 다 했다고 합시다).

그런데 철수는 나부자에게 돈을 갚을 기일(변제기)이 도래하기 전에, 친구인 영희에게 자신의 집을 팔아 버렸습니다. 저당권이 설정된 부동산을 팔 수 있느냐? 얼마든지 가능합니다. 나부자 입장에서는 철수의 몸뚱이에 저당을 건 것이 아니라 부동산에 저당을 건 것이라서, 사실 소유자가 누구이건 간에 어쨌든 그 부동산을 나중에 팔아서 자기 채권을 회수할 수만 있으면 되니까요.

물론, 사는 사람(영희) 입장에서는 저당권이 낀 부동산은 혹시 경매로 넘어갈 수 있는 물건이기 때문에 굉장히 부담스러운 것이 사실입니다. 그래서 어지간하면 저당권 낀 부동산은 사람들이 잘 안 사려고 하고, 산다고 하더라도 잔금을 다 치르기 전에 저당권등기를 말소하고 물건을 넘겨주기를 원하지요. 하지만 우리는 예시를 드는 것이니까, 어쨌건 영희가 부동산을 철수로부터 사들였다고 가정합시다.

* 현실에서는 가끔 있는 계약 방식이 있는데요. 부동산을 매수하는 사람이 (근)저당권의 피담보채무를 인수하되, 대신 채무 금액만큼을 매매대금에서 깎아 주는 방법이 있기는 합니다. 우리의 판례는 특별한 약정이 없는 이상 이를 채무인수가 아닌 이행인수로 해석하는데(대법원 1993. 2. 12. 선고 92다23193 판결), 이행인수 등에 관한 내용은 추후 채권법에서 공부할 것이므로 여기서는 대충 넘어가도록 하겠습니다.

이제 부동산 소유자는 철수에서 영희로 바뀐 상황입니다. 그런데 약속한 기일이 되었는데도 철수는 나부자에게 1억원을 갚지 않았습니다. 나부자는 어쨌건 1억원을 받아내야 하므로, 영희가 소유자인 집을 경매에 넘겨 버립니다. 그런데 집이 경매로 넘어가는 거야 영희도 저당권 걸린 집을 살 때 이미 예상하고는 있었다고 하지만, 영희 입장에서는 그래도 자기가 빌려 쓴 돈도 아닌데 그것 때문에 집에서 쫓겨나는 것은 조금 너무하다고 생각할 수 있습니다.

그래서 민법 제363조제2항에서는, (나부자의 신청에 의해 개시된) 경매 절차에 영희가 직접 참가하여, 돈을 내고 집을 경락받을 수 있도록 '제3자도 경매인이 될 수 있다'는 규정을 넣어 둔 것입니다. 단순하게 이야기하면, 경매에 넘어간 집을 영희가 돈 주고 사버리는 것이지요. 그러면 나부자는 팔린 돈에서 1억원을 회수할 수 있어서 좋고, 영희는 아주 기분 좋은 건 아니지만 어쨌건 집에서 계속 살 수 있게 됩니다. 결국 제2항은 제3자를 어느 정도 보호하기 위해 만들어진 조문이라고 하겠습니다.

참고로, 제2항에서의 경매인은 한자가 '競買人'으로, 여기서의 매(買)는 판다는 뜻이 아니라 산다는 의미입니다. 따라서 해석하면 '경매에서 물건을 사들이는 사람'이 될 자격이 있다고 보는 거는 거지요.

오늘은 경매청구권과 경매인에 대해 살펴보았습니다. 내일은 제3취득자의 변제에 대하여 공부하도록 하겠습니다.

제364조(제삼취득자의 변제)

저당부동산에 대하여 소유권, 지상권 또는 전세권을 취득한 제삼자는 저당권자에게 그 부동산으로 담보된 채권을 변제하고 저당권의 소멸을 청구할 수 있다.

오늘은 제364조를 보겠습니다. 저당부동산에 대하여 소유권, 지상권, 전세권을 취득한 제3자(제3취득자라고도 함)는, 저당권자에게 그 부동산으로 담보된 채권을 변제하고 저당권의 소멸을 청구할 수 있다는 내용입니다. 이것은 어떤 의미일까요? 우선, 왜 이런 규정을 두었는지 그 이유부터 생각해볼 필요가 있습니다.

나중에 채권편에서 공부하겠지만, 우리 민법 제469조는 이미 예외적인 경우를 제외하고는 보통 제3자가 다른 사람의 빚을 갚는 것을 허용해 주고 있습니다. 사실 채권자 입장에서는 누구에게서 받건 돈을 받기만 하면 되니까, 누가 나서서 대신 빚을 갚아 주겠다고 하는 것을 막을 이유까지는 없겠죠. 그래서 제364조 같은 규정이 없더라도, 제3자가 채무자의 빚을 대신 갚아 주는 것은 일단 가능한 겁니다. 그렇다면 제364조는 과연 불필요한 조문일까요?

제469조(제삼자의 변제) ①채무의 변제는 제삼자도 할 수 있다. 그러나 채무의 성질 또는 당사자의 의사표시로 제삼자의 변제를 허용하지 아니하는 때에는 그러하지 아니하다.
②이해관계없는 제삼자는 채무자의 의사에 반하여 변제하지 못한다.

그렇지만은 않습니다. 예를 들어 채권자인 나부자가 채무자인 철수에게 빌려줬던 돈이 2억원이라고 합시다. 그런데 이중 1억원만 철수의 집을 담보로 해서 빌려준 것이고, 나머지 1억원은 저당을 따로 잡지 않고 차용증만 써주고 빌려준 거라고 합시다.

이 때 최착함이라는 사람이 철수의 빚을 대신 갚아주려고 합니다. 만약 제364조가 없다면, 제469조에 따라서 최착함은 철수의 빚 2억원을 다 변제해야 철수의 부동산을 저당권의 마수로부터(?) 해방시켜 줄 수 있을 것입니다.

그러나 제364조가 존재함으로 인하여, 최착함은 '부동산으로 담보된 채권', 즉 우리가 제360조에서 공부한 '피담보채권의 범위'에 해당하는 부분만 갚으면 저당권의 소멸을 청구할 수 있습니다(지연배상도 제360조 단서에 따라 이행기일 경과 후 1년까지 해당되는 부분만 갚으면 됨).

다시 말해 대체로 우리의 학설은 제364조를 민법 제469조의 특칙으로 보고, 제3취득자는 저당권을 소멸시키기 위해서는 민법 제360조에 정한 한도에서 변제하면 충분한 것으로 이해하고 있다는 것입니다(이준현, 2010). 그러니까 제469조의 존재에도 불구하고 제364조가 왜 따로 존재하고 있는 건지는 대략 이해가 가실 거라고 생각합니다.

제360조(피담보채권의 범위) 저당권은 원본, 이자, 위약금, 채무불이행으로 인한 손해배상 및 저당권의 실행비용을 담보한다. 그러나 지연배상에 대하여는 원본의 이행기일을 경과한 후의 1년분에 한하여 저당권을 행사할 수 있다.

자, 그럼 제364조의 존재 이유에 대해 계속하여 알아보겠습니다. 만약 어떤 부동산이 있으면, 거기에 소유권이나 지상권, 전세권이 설정될 수 있다는 것은 지금까지 공부한 바에 비추어 충분히 이해하실 것입니다.

그런데 제364조는 '저당부동산'(이미 저당권이 설정되어 있는 부동산)에 소유권, 지상권 또는 전세권을 취득한 사람(제3자)에 대하여 규정하고 있습니다. 즉, 저당권이 설정되기 '전' 부동산에 소유권, 지상권, 전세권을 취득한 경우는 제364조에서 말하는 '제3자'에 해당하지 않는 것입니다.

이 조문이 존재하는 이유는 소유권, 지상권, 전세권을 취득한 시점이 저당권설정이 있기 전인지, 후인지에 따라 법적인 지위가 완전히 달라지기 때문입니다. 그 이유는 우리 법제상 경매의 특성 때문인데요, 우리의 민사집행은 원칙적으로 저당권설정등기 시점을 기준으로 해서 대항력을 판단하고 있습니다(민사집행법 제91조제3항).

민사집행법

제91조(인수주의와 잉여주의의 선택 등) ①압류채권자의 채권에 우선하는 채권에 관한 부동산의 부담을 매수인에게 인수하게 하거나, 매각대금으로 그 부담을 변제하는 데 부족하지 아니하다는 것이 인정된 경우가 아니면 그 부동산을 매각하지못한다.
②매각부동산 위의 모든 저당권은 매각으로 소멸된다.
③지상권 · 지역권 · 전세권 및 등기된 임차권은 저당권 · 압류채권 · 가압류채권에 대항할 수 없는 경우에는 매각으로 소멸된다.
④제3항의 경우 외의 지상권 · 지역권 · 전세권 및 등기된 임차권은 매수인이 인수한다. 다만, 그중 전세권의 경우에는 전세권자가 제88조에 따라 배당요구를 하면 매각으로 소멸된다.
⑤매수인은 유치권자(留置權者)에게 그 유치권(留置權)으로 담보하는 채권을 변제할 책임이 있다.

이게 어떤 의미인지 살펴보겠습니다. 부동산 A가 있다고 해봅시다. 이 부동산의 소유자는 현재 철수입니다(1월 1일 기준). 3월 1일에 영희가 철수와 계약을 맺어서 전세권을 얻었다고 해봅시다(전세권자=영희, 전세권 설정자=철수). 영희는 철수의 부동산 A를 전세권 설정계약에 따라 사용하였습니다.

그러다가 철수의 집안 형편이 어려워졌고, 철수는 4월 1일 옆집의 나부자에게 돈을 빌리면서 부동산 A에 저당권을 설정하여 주었습니다(저당권자=나부자, 저당권 설정자=철수).

이런 상황에서 나중에 철수가 나부자에게 돈을 갚지 못하여 부동산 A가 경매로 넘어가게 되었다고 해봅시다. 부동산 A는 경매에서 낙찰되어 '최투자'라는 사람에게 소유권이 이전되게 되었습니다. 나부자는 최투자가 경매에서 납부한 돈으로 철수에게 못 받은 자신의 채권을 회수할 수 있었습니다. 철수는 이제 부동산 A의 소유권을 잃게 되었습니다. 그런데, 철수야 돈을 못 갚았으니 오히려 억울할 게 없지만, 영희(전세권자) 입장에서는 어떻게 되는 걸까요?

다행히 민사집행법 제91조제4항에 따르면, 영희는 자신의 전세권을 그대로 새로운 주인(최투자)에게 주장할 수 있습니다. 대항력이 있는 겁니다. 나부자는 저당권 설정 시점(4월 1일)에 이미 영희가 전세권을 들고 있다는 것을 알고 있었습니다(등기부에 전세권이 기재되어 있으니까). 부동산 A는 전세권이 설정된 상태로 경매에 넘어갔으며, 경매에서 낙찰받은 최투자 역시 당연히 부동산 A에 전세권이 있다는 것을 알고 있는 상태로 경매에 참가했습니다.

즉, 모두가 이 상황을 알고 결정을 내린 것이기 때문에 나부자와 최투자 모두에게 예측 불가능한 손해는 발생하지 않을 것이므로, 전세권자인 영희를 보호하지 않을 이유가 없다는 것입니다. 오히려 여기서 영희의 전세권이 없어져 버린다고 해버리면, 누가 전세권 설정하려고 할까요? 전세권 얻고 나서 나중에 건물 주인이 마음대로 부동산에 저당권을 설정해 버리면, 나중에 경매에서 자기 전세권이 없어져 버릴 수도 있는데요.

그런데 저당권설정등기 이후에 소유권, 지상권, 전세권을 취득하는 경우는 얘기가 완전히 달라집니다. 위의 사례에서 날짜를 바꾸어, 철수가 부동산 A에 저당권을 설정하고(3월 1일), 그 다음 영희가 부동산 A에 전세권을 들었다고 해봅시다(4월 1일).

이렇게 되면, 오히려 보호받아야 하는 존재는 먼저 저당권을 설정한 저당권자(나부자)입니다. 나부자가 처음 철수에게 돈을 빌려줄 때(3월 1일)에는 부동산 A의 등기는 깨끗했습니다. 나부자는 나중에 전세권이 설정될지 안될지는 전혀 예상하지 못했었던 거죠.

즉, 저당권은 제3자의 용익권이라는 부담이 없는 상태로 목적물을 평가했고, 그에 따라 저당물에 대해 저당권을 설정하는 거래를 한 것이므로 그러한 신뢰는 법적으로 보호받아야 하는 것입니다(배형원, 2019). 따라서, 부동산 A가 경매에 넘어가 최투자에게 낙찰되면 최투자는 이제 마음대로 부동산 A를 사용, 수익할 수 있고, 영희는 자신의 전세권으로 최투자에게 대항할 수 없게 됩니다.

그래서 우리가 공부하는 민법 제364조는, 저당권설정등기 이후의 부동산에 소유권, 지상권, 전세권을 취득한 제3자(위의 사례에서는 영희)에게 한 가지 살아날 방법(?)을 제시하고 있는 것입니다. 즉, 영희의 입장에서는 철수가 진 빚을 자신이 대신 나부자에게 갚아 버리고, 빚이 없어졌으니 그에 따라 부동산 A에 설정된 저당권 등기를 말소하여 줄 것을 청구할 수 있는 것입니다. 저당권이 없어지면, 부동산 A도 경매에 넘어갈 일이 없으니 영희는 자신의 전세권을 안심하고 행사할 수 있게 됩니다.

"아니, 그러면 너무 철수만 좋은 거 아닌가요? 왜 영희가 철수의 빚을 갚아 주어야 합니까?"

물론 이렇게만 들으면 철수만 꿀 빨고(?) 있는 것으로 생각되겠지만, 꼭 그렇지만은 않습니다. 빚을 갚아준 영희는 원래의 채무자(저당권설정자, 위의 사례에서는 철수)에게 돈을 내놓으라고 할 수 있습니다. 나중에 채권법에서 공부하겠습니다만, 이를 "피담보채무를 변제한 제3취득자는 채무자에게 구상권을 갖게 되고, 그 변제로서 제3취득자는 당연히 채권자를 대위한다"(제481조)라고 표현합니다(김준호, 2017). 구상권이니 대위니 하는 표현까지 지금 알 필요는 없지만, 어쨌건 철수도 그냥 입 싹 씻고 지나갈 수는 없다는 것입니다. 세상에 공짜는 없습니다.

제481조(변제자의 법정대위) 변제할 정당한 이익이 있는 자는 변제로 당연히 채권자를 대위한다.

오늘은 제3취득자의 변제에 대하여 공부하였습니다. 내일은 토지와 건물에 대한 경매청구권에 대해 살펴보도록 하겠습니다.

*참고문헌

김용덕 편집대표, 「주석민법 물권4(제5판)」, 한국사법행정학회, 2019, 121면(배형원).

김준호, 「민법강의(제23판)」, 법문사, 2017, 877면.

이준현, “후순위근저당권자는 민법 제364조의 제3취득자가 될 수 있는가?”, 한국비교사법학회, 비교사법 통권 제50호, 2010.9., 154-155면.

제365조(저당지상의 건물에 대한 경매청구권)

토지를 목적으로 저당권을 설정한 후 그 설정자가 그 토지에 건물을 축조한 때에는 저당권자는 토지와 함께 그 건물에 대하여도 경매를 청구할 수 있다. 그러나 그 건물의 경매대가에 대하여는 우선변제를 받을 권리가 없다.

제365조를 보겠습니다. 제365조 제목에서는 '저당지상의 건물에 대한 경매청구권'이라고 하고 있는데, 많은 교과서에서는 이를 '일괄경매청구권'이라고도 부릅니다. 왜 이렇게 불리는지, 어떤 내용인지 지금부터 살펴보도록 하겠습니다.

제365조는 토지를 목적물로 해서 토지저당권을 설정한 이후에, 저당권 설정자가 바로 그 토지 위에 건물을 지어 올린 경우에는 저당권자가 토지뿐 아니라 건물에 대해서도 경매를 청구할 수 있도록 하고 있습니다. 다만, 그 건물에 대해서는 우선변제를 받을 수 없답니다. 어떤 의미일까요?

사실 제365조를 처음 읽어 보았을 때에는 뭔가 이상한 느낌이 들 수 있습니다. 왜냐하면 저당권 설정자는 '땅'에만 저당권을 설정한 것인데, 돈을 못 갚을 경우 저당권자가 땅이 아닌 그 위의 건물까지 경매에 넘겨버릴 수 있다는 뜻이기 때문입니다. 나는 A에만 저당권을 설정했는데 나중에 빚을 못 갚았다고 B까지 경매에 넘기는 것은 좀 억울하지 않을까요? 그럼에도 불구하고 이런 제도가 존재하는 이유가 있으니, 지금부터 알아보겠습니다.

예를 들어 보겠습니다. 오늘도 우리의 철수는 돈이 궁해서, 옆집의 나부자에게 돈을 빌리기로 합니다. 역시나 나부자는 담보를 요구하고, 이에 철수는 조상 대대로 내려온 땅에 저당권을 걸기로 합니다. 다만, 중요한 것은 철수의 땅에는 건물이고 뭐고 아직 아무것도 없었다는 것입니다. 어쨌건 그런 상황에서 저당권 설정계약이 이루어졌고, 나부자는 저당권자이자 채권자가 되었으며, 철수는 저당권 설정자이자 나부자의 돈을 빌린 채무자가 되었습니다.

그런데 우리가 지금까지 공부한 저당권의 특성에 따르면, 저당권을 설정한 후에도 저당권 설정자는 그 목적물을 자유롭게 사용·수익할 수 있습니다.

철수는 저당권 설정계약이 체결된 이후, 이제 돈도 빌렸으니 자기도 본격적으로 사업을 좀 해봐야겠다고 생각합니다. 그래서 저당 잡힌 땅 위에 건물을 지어, 임대사업자가 되기로 결심하였습니다(가난한 철수가 건물을 어떤 돈으로 지었는지 하는 현실적인 문제는 상상에 맡기겠습니다). 건물이 완공되면, 철수는 이제 땅과 그 위의 건물을 동시 소유하게 됩니다.

자, 이제 철수가 나부자에게 돈을 안 갚는다고 생각해 봅시다. 나부자는 당연하겠지만 저당권을 걸어둔 철수의 땅을 경매에 넘겨 팔고, 그 대금으로 자신의 채권을 회수하려고 할 것입니다.

여기서 새로운 사람을 하나 등장시켜 봅시다. 그의 이름은 최투자입니다. 최투자는 괜찮은 투자처를 찾다가 철수의 땅과 건물에 눈독을 들이게 됐습니다.

이런 상황에서, 만약 제365조와 같은 조문이 없다고 가정해 봅시다. 그러면 나부자는 철수의 건물에는 저당권에 기한 경매를 실시할 수 없으므로 철수의 땅만 경매에 넘기게 됩니다. 따라서 최투자가 경매에서 낙찰받는다고 해도, 여전히 그 땅 위의 건물의 소유자는 철수일 것입니다.

최투자 입장에서는, 건물 빼고 땅만 사는 것은 뭔가 좀 그렇습니다. 건물은 어차피 철수 소유이니까, 임대사업도 철수가 할 거고, 최투자는 잘해봐야 철수와 지상권 설정계약을 해서 땅세나 좀 받을 수 있을 것입니다. 결국 땅만 경매에 나올 경우, 최투자 입장에서는 경매에 뛰어들 유인이 줄어들게 됩니다. 이렇게 투자자들이 경매에 뛰어들지 않을 경우, 땅이 경매에서 잘 안 팔리게 되어 나부자는 채권을 회수하지 못하게 될 수도 있습니다. 오히려 나부자에게 좋지 않은 결과가 될 수 있는 것입니다.

건물 소유자이자 채무자인 철수 입장에서도 상황이 좋지만은 않습니다. 왜냐, 만약 땅만 경매에 넘어가서 최투자가 땅 주인이 될 경우, 철수는 최투자와 지상권 설정계약을 체결해야 하고 만약 그게 불발될 경우 건물을 철거하여야 하기 때문입니다. 땅 주인이 건물 없애고 나가라고 하는데 어쩔 수 없지요. 즉, 철수 입장에서도 법적 지위가 불안정해지는 문제점이 생기는 것입니다. 건물을 유지하지 못하게 될 수도 있습니다.

이때 제365조와 같은 조문이 도입되었다고 해봅시다. 그러면 저당권자인 나부자 입장에서는 굉장히 기쁠 것입니다. 왜냐, 저당권이 설정된 땅과 그 위의 건물을 한꺼번에 경매에 넘기면, 투자자들이 훨씬 더 좋아할 것이기 때문입니다. 최투자 입장에서도 토지와 건물을 한꺼번에 낙찰받을 수 있게 되므로 투자 가치가 훨씬 높아지게 됩니다. 법적인 귀찮은 문제도 덜하기도 하고요.

따라서 민법 제365조는, 저당목적물인 토지의 교환가치가 하락하는 것을 방지하고, 저당권 걸린 토지의 위에 존재하는 건물로 인하여 발생하는 경매의 어려움을 해소하여 저당권의 실행을 용이하게 하기 위해 존재하는 것입니다.

우리의 판례는, "민법 제365조가 토지를 목적으로 한 저당권을 설정한 후 그 저당권설정자가 그 토지에 건물을 축조한 때에는 저당권자가 토지와 건물을 일괄하여 경매를 청구할 수 있도록 규정한 취지는, 저당권은 담보물의 교환가치의 취득을 목적으로 할 뿐 담보물의 이용을 제한하지 아니하여 저당권설정자로서는 저당권설정 후에도 그 지상에 건물을 신축할 수 있는데, 후에 그 저당권의 실행으로 토지가 제3자에게 경락될 경우에 건물을 철거하여야 한다면 사회경제적으로 현저한 불이익이 생기게 되어 이를 방지할 필요가 있으므로 이러한 이해관계를 조절하고, 저당권자에게도 저당토지상의 건물의 존재로 인하여 생기게 되는 경매의 어려움을 해소하여 저당권의 실행을 쉽게 할 수 있도록 한 데에 있다는 점에 비추어 볼 때, 저당지상의 건물에 대한 일괄경매청구권은 저당권설정자가 건물을 축조한 경우뿐만 아니라 저당권설정자로부터 저당토지에 대한 용익권을 설정받은 자가 그 토지에 건물을 축조한 경우라도 그 후 저당권설정자가 그 건물의 소유권을 취득한 경우에는 저당권자는 토지와 함께 그 건물에 대하여 경매를 청구할 수 있다."라고 합니다(대법원 2003. 4. 11. 선고 2003다3850 판결). 즉, 제365조는 저당권자를 보호하기 위한 취지가 있는 것입니다.

물론 앞서 말씀드린 것처럼, 채무자인 철수 입장에서는 조금 억울할 수도 있습니다. 처음 저당권을 설정했던 것은 분명히 땅인데, 자기 건물까지 경매에 넘긴다는 것이 너무하다는 생각이 들 수도 있으니까요. 그래서 제365조에서는 일괄경매청구가 가능하더라도 그 건물의 경매 대가에 대해서는 우선변제를 받을 수 없도록 규정하고 있습니다(제365조 단서). 예를 들어 철수의 땅이 1억원, 건물이 2억원에 경매에서 팔리게 되었다고 한다면 (별도의 경매비용 등은 고려하지 않고) 총 3억원 중 나부자(저당권자)가 우선변제를 받을 수 있는 돈은 1억원이라고 할 것입니다.

다만, 제365조의 일괄경매청구권은 어디까지나 저당권자를 위해서 존재하는 '권리'이므로, 반드시 이를 언제나 행사하여야 하는 것은 아닙니다(배형원, 2019). 즉, 저당권자(위의 사례에서는 나부자)

가 쓰고 싶지 않으면 일괄경매청구권을 행사하지 않아도 되고, 땅에 대해서만 경매를 신청하는 것도 가능하다는 것이지요.

제365조에 대한 논의에서는 민사집행법에 따른 일괄매각 제도, 또는 땅과 건물이 동시에 경매에서 낙찰되었을 때 토지에 대한 매각대금의 안분 문제 등을 함께 공부할 필요가 있습니다만, 이러한 내용을 모두 기재하면 내용이 길어질뿐더러 아직 공부하지 않은 내용들도 있으므로, 여기서는 이 정도로만 마무리하고 넘어가도록 하겠습니다.

여기서 마무리하기 전에 한 가지 중요하게 짚고 넘어갈 것이 있습니다. 오늘 공부한 제365조가 적용되기 위해서는 위 철수의 사례와 같이 '저당권을 설정할 당시'에는 토지 위에 건물이 없어야 하고 저당권이 설정된 후에 건물이 신축되어야 한다는 조건이 있습니다. 제365조에도 그런 시간 관계가 명확하게 서술되어 있고요.

정리하자면, 저당권자에게 일괄경매청구권이 인정될 수 있는 요건은 ①저상권을 설정할 당시에는 땅 위에 건물이 없었을 것, ②저당권설정 이후 저당권설정자가 땅 위에 건물을 올려서 소유하고 있을 것, 이렇게 2가지라고 하겠습니다.

*저당권을 설정하지 않은 제3자가 땅 위에 건물을 올려 소유하는 경우

에는 일괄경매청구권이 인정되지 아니합니다. 또 저당권설정자가 건물을 올렸더라도, 그 건물을 제3자에게 팔아치운 뒤라면 일괄경매청구권은 역시 인정되지 아니합니다(박동진, 2022). 제365조의 조문을 꼼꼼히 읽어 보시기 바랍니다.

그러면 저당권을 설정할 당시에 땅 위에 이미 건물이 존재하였던 경우는 어떻게 처리하면 좋을까요? 제365조가 적용되지 않는 것은 알겠는데, 다른 조문이 적용되는 걸까요?

2가지로 나누어 생각해 볼 수 있는데, 먼저 땅은 철수의 것인데 건물은 영희의 것인 상태에서 땅에 저당권이 설정되는 경우를 생각해 봅시다(땅 소유자와 건물 소유자가 다른 경우). 이런 경우에는 사실 이미 건물 소유자(영희)가 땅 소유자인 철수와 잘 이야기해서 용익물권 등을 가지고 있을 겁니다. 철수가 공짜로 자기 땅을 영희에게 내주지는 않았을 터입니다.

따라서 철수-영희 간의 용익물권 설정(예를 들어 지상권 설정계약)이 먼저였다면, 나중에 나부자의 저당권이 설정되고, 철수의 땅이 경매로 넘어갔다고 하더라도 영희는 자신의 용익물권을 가지고 부동산의 매수인(최투자)에게 대항할 수 있기 때문에 문제가 없습니다. 즉, 제365조를 굳이 적용하지 않더라도 건물이 철거됨으로써 발생하는 사회적 비용 같은 문제가 발생할 여지가 적은 것이지요.

다음으로, 땅도 건물도 철수의 것인 상태에서 저당권이 나중에 설정되는 경우가 있습니다(땅 소유자와 건물 소유자가 같은 경우). 이 경우에도 제365조가 적용되지 않는데, 그 이유는 바로 내일 공부할 제366조에서 이 부분을 규율하고 있기 때문입니다.

내일은 제366조, 법정지상권에 대해 알아보도록 하겠습니다.

*참고문헌

김용덕 편집대표, 「주석민법 물권4(제5판)」, 한국사법행정학회, 2019, 365면(배형원).

박동진, 「물권법강의(제2판)」, 법문사, 2022, 498-499면.

제366조(법정지상권)

저당물의 경매로 인하여 토지와 그 지상건물이 다른 소유자에 속한 경우에는 토지소유자는 건물소유자에 대하여 지상권을 설정한 것으로 본다. 그러나 지료는 당사자의 청구에 의하여 법원이 이를 정한다.

오늘 공부할 제366조를 보고 조금 이상함을 느끼신 분들이 있을 겁니다. 그도 그럴 것이, 우리는 분명 저당권 파트를 공부하고 있었는데 갑자기 조 제목에서 '법정지상권'이라고 하고 있습니다. 뭔가 지상권 관련한 내용 같은데, 이게 왜 여기 끼어들어갔는지 생각해보기 전에 도대체 법정지상권이란 무엇인지 먼저 짚고 넘어가야 합니다.

그런데 우리는 법정지상권에 대해 이미 한번 맛본 적이 있습니다. 바로 전세권 파트에서 공부한 제305조입니다. 기억이 잘 안 나는 분들은 복습하고 오셔도 좋습니다.

제305조(건물의 전세권과 법정지상권) ①대지와 건물이 동일한 소유자에 속한 경우에 건물에 전세권을 설정한 때에는 그 대지소유권의 특별승계인은 전세권설정자에 대하여 지상권을 설정한 것으로 본다. 그러나 지료는 당사자의 청구에 의하여 법원이 이를 정한다.
②전항의 경우에 대지소유자는 타인에게 그 대지를 임대하거나 이를 목적으로 한 지상권 또는 전세권을 설정하지 못한다.

한번 복습하는 차원에서 정리하자면, 법률에 의하여 정해지는 지상권, 즉 법정지상권을 우리가 현실에서 써먹을 수 있는 사례는 다음과 같은 5가지입니다(관습법상의 법정지상권을 포함하여). 다시 한번 정리해 볼까요? 제305조에서 살펴보았던 것과 비교하면서 읽어 보세요.

1. 땅과 건물의 소유자가 동일하였는데, 건물에만 전세권이 설정되었다가, 이후 땅이 처분되어 땅 주인과 건물 주인이 달라진 경우

이 경우에는 전에 공부했던 민법 제305조제1항에 따른 법정지상권이 전세권 설정자(원래 땅 주인)에게 인정되게 됩니다. 자세한 내용은 제305조 부분을 참조하세요.

2. 땅과 건물의 소유자가 동일하였는데, 건물 또는 땅 한쪽에만(또는 양쪽 모두에) 저당권이 설정되었고, 이후 저당권이 실행되어 경매가 이뤄지고, 그 결과 땅 주인과 건물 주인이 다르게 된 경우

이 경우가 바로 오늘 공부할 제366조 부분입니다. 자세히 읽어보면, 뭔가 저당권과 관련된 내용이라는 것을 알 수 있습니다. 그래서 조의 제목은 법정지상권인데 특이하게 저당권 파트에 들어와 있는 것입니다.

자세히 보시면 위 제305조 부분과는 내용이 꽤 다르다는 것을 알 수 있는데, 예를 들어 보도록 하겠습니다. 철수는 땅과 그 위의 건물까지 소유한 사람입니다. 그런데 언제나처럼 돈이 급해진 철수는, 자신의 땅만 저당 잡히고 돈을 빌리기로 합니다. 그렇게 철수와 나부자는 철수의 땅을 저당권의 목적으로 하여 저당권 설정계약을 하였습니다.

*사례에서는 땅에만 저당권이 설정된 것으로 했지만, 땅과 건물 모두에 저당권이 설정되어도 상관은 없습니다. 그 경우에도 경매 결과 땅과 건물 소유자가 달라질 수 있기 때문입니다.

역시나 우리 철수는 기한 내에 돈을 못 갚았겠죠? 이에 화가 난 나부자는 자신의 채권을 회수하기 위하여 철수의 땅에 걸어 둔 저당권을 실행하여 경매에 부쳐 버렸고, 철수의 땅은 마침내 경매를 거쳐 최투자라는 사람에게 낙찰되었습니다.

자, 그러면 이제 땅의 주인은 더 이상 철수가 아니라 최투자고, 그 땅 위 건물의 주인은 여전히 철수인 상황입니다. 저당권이 설정될 시점에 건물이 이미 땅 위에 존재했기 때문에, 어제 우리가 공부한 일괄경매청구권은 성립하지 않고 제365조는 적용되지 않습니다.

사실 최투자와 철수가 잘 협의해서 지상권 설정계약 같은 것을 하면 좋겠습니다만, 협의가 불발되어 최투자가 철수에게 건물의 철거를 요구하는 상황도 발생할 수 있습니다. 만약 이렇게 될 경우, 땅 주인이 합법적으로 "내 땅에서 네 건물 치우고 나가."라고 하는 상황이기 때문에 철수는 건물을 때려 부숴야 하는 상황이 될 겁니다. 이건 사회 전체적으로 봤을 때에도 자원의 낭비라고 볼 수 있겠지요.

그래서 우리 민법 제366조는, 이렇게 저당권이 실행되어 건물과 땅의 주인이 서로 다르게 된 경우에는 토지소유자(최투자)가 건물소유자(철수)에게 지상권을 설정해 준 것으로 보도록 하여, 철수가 굳이 아까운 건물을 울며 겨자 먹기로 때려 부수지 않아도 되도록 배려하고 있는 것입니다.

"최투자 입장에서 그럼 좀 억울하지 않나요?"

이렇게 생각하시는 분들도 있을 것입니다. 하지만 최투자의 경우 경매에 참여할 때부터 이미 자신이 사려고 하는 땅 위에 이미 철수의 건물이 있다는 것은 당연히 알고 있었을 것이고, 그에 따라서 자신의 의사로 경매에 참여하였기 때문에 '예상하지 못한' 손해를 입지는 않을 것입니다. 가치를 낮게 본다면, 그만큼 낮은 가격을 경매에 써냈을 테니까요.

저당권자인 나부자 역시, 처음에 철수에게 돈을 빌려줄 때 이미 땅 위에 건물이 있는 것을 알고 있었을 것이고, 그걸 감안해서 (혹시 나중에 경매에 넘어갔을 때 건물의 존재 때문에 땅값이 낮게 평가되더라도) 스스로 평가한 담보의 가치 내에서 철수에게 돈을 빌려 줬을 것이므로 예상치 못한 손해를 입지는 않을 것입니다.

즉, 개인의 자유로운 선택과 그에 따른 책임은 스스로 감내하도록 최대한 보장하되, 예상하지 못한 손해나 지나치게 불공정한 결과가 나오지 않도록 제한하는 것이 우리 민법의 태도라는 것을 알 수 있습니다.

참고로, 우리 판례는 제366조 법정지상권의 취지에 대하여, "토지에 저당권을 설정할 당시 토지의 지상에 건물이 존재하고 있었고 그 양자가 동일 소유자에게 속하였다가 그 후 저당권의 실행으로 토지가 낙찰되기 전에 건물이 제3자에게 양도된 경우, 민법 제366조 소정의 법정지상권을 인정하는 법의 취지가 저당물의 경매로 인하여 토지와 그 지상 건물이 각 다른 사람의 소유에 속하게 된 경우에 건물이 철거되는 것과 같은 사회경제적 손실을 방지하려는 공익상 이유에 근거하는 점, 저당권자로서는 저당권설정 당시에 법정지상권의 부담을 예상하였을 것이고 또 저당권설정자는 저당권설정 당시의 담보가치가 저당권이 실행될 때에도 최소한 그대로 유지되어 있으면 될 것이므로 위와 같은 경우 법정지상권을 인정하더라도 저당권자 또는 저당권설정자에게는 불측의 손해가 생기지 않는 반면, 법정지상권을 인정하지 않는다면 건물을 양수한 제3자는 건물을 철거하여야 하는 손해를 입게 되는 점 등에 비추어 위와 같은 경우 건물을 양수한 제3자는 민법 제366조 소정의 법정지상권을 취득한다."라고 하니 참고하시기 바랍니다(대법원 1999. 11. 23. 선고 99다52602 판결).

한편, 제366조 단서에서는 땅세를 당사자의 청구에 의하여 법원이 정해 주도록 하고 있습니다. 다시 말하자면 철수도 최투자의 땅을 무료로 쓸 수는 없다는 거지요.

그리고 우리의 판례 역시 민법 제366조의 취지에 대하여 이미 1960년대에 나온 판결에서 "법정지상권을 인정하는 법의 취지가 저당물의 경매로 인하여 토지와 그 지상건물이 각 다른 사람의 소유에 속하게 된 경우에 건물이 철거되는 것과 같은 사회경제적 손실을 방지하려는 공익상 이유에 근거하는 것이고 당사자의 어느 한편의 이익을 보호하려는데 있는 것이 아니므로 법원이 그 자료를 정함에 있어서는 법정지상권설정 당시의 제반사정을 참작하고 또 당사자 쌍방의 이익을 조화하여 어느 한편에 부당하게 불이익 또는 이익을 주는 결과가 되어서는 안될 것"이라고 설명하고 있습니다(대법원 1966. 9. 6. 선고 65다2587 판결). 즉, 어느 한쪽의 편을 들기 위해 만든 조문이 아니므로, 땅세를 법원이 정할 때에는 최대한 공정하게 정해야 한다는 것이지요.

그리고 참고로, 우리 판례는 "민법 제366조는 가치권과 이용권의 조절을 위한 공익상의 이유로 지상권의 설정을 강제하는 것이므로 저당권설정 당사자간의 특약으로 저당목적물인 토지에 대하여 법정지상권을 배제하는 약정을 하더라도 그 특약은 효력이 없다고 하여야 할 것이다."라고 하여(대법원 1988. 10. 25. 선고 87다카1564 판결), 제366조는 강행규정이라고 보고 있습니다.

*민법 제366조의 입법 취지와 강행규정성에 대해서는 판례의 입장과 견해를 달리하는 학설들이 있습니다. 이에 대해 여기서 모두 설명하기는 어려우므로, 관심이 있는 분들은 따로 검색해 보셔도 좋습니다.

정리하자면, 제366조에 따른 법정지상권의 성립요건은 ①저당권을 설정할 당시 땅 위에 건물이 존재하였을 것, ②저당권을 설정할 당시 땅과 건물의 소유자가 동일할 것, ③저당권 실행에 따른 경매로 땅과 건물의 소유자가 달라지게 될 것, 이렇게 3가지라고 할 것입니다.

3. 땅과 그 위의 건물이 같은 소유자였다가, 그 중 어느 하나에 설정되어 있던 가등기담보권 등이 실행되어 땅과 건물의 소유자가 달라지게 된 경우

가등기담보 등에 관한 법률

제10조(법정지상권) 토지와 그 위의 건물이 동일한 소유자에게 속하는 경우 그 토지나 건물에 대하여 제4조제2항에 따른 소유권을 취득하거나 담보가등기에 따른 본등기가 행하여진 경우에는 그 건물의 소유를 목적으로 그 토지 위에 지상권(地上權)이 설정된 것으로 본다. 이 경우 그 존속기간과 지료(地料)는 당사자의 청구에 의하여 법원이 정한다.

가등기담보권자가 담보부동산에 대해서 가등기담보권 실행을 하여 땅과 건물의 소유자가 다르게 된 경우를 규율하고 있습니다. 가등기담보권은 예를 들어 철수가 나부자에게 1억원을 빌리면서,""만약 내가 기일 내에 돈을 갚지 못한다면, 내가 가진 땅의 소유권을 당신에게 넘겨주겠다"라고 하는 것입니다.

얼핏 보면 저당권이랑 비슷해 보이기는 하는데, 저당권은 담보물권을 설정하고 추후 땅을 경매에 넘겨서 채권의 만족을 얻는 것이라면, 가등기담보의 경우에는 땅의 소유권 자체가 나부자에게 넘어가게 되므로 차이점이 있습니다. 「가등기담보 등에 관한 법률」에서는 소비대차 또는 준소비대차에 따라 발생한 채권의 담보를 위한 가등기담보를 규율하고 있는데요, 여기서 가등기담보의 자세한 내용까지 다 알고 가실 필요는 없지만 가등기담보권이 실행되면 마치 저당권의 실행에서와 유사하게 '땅과 건물의 주인이 각각 다르게 되는' 사태가 발생할 수 있다는 것은 대략 유추할 수 있을 것입니다. 그래서 법정지상권을 규정하고 있는 것이지요.

4. 입목에 관한 법률 제6조에 따른 법정지상권: 입목저당권의 실행

> 입목에 관한 법률
> 제6조(법정지상권) ① 입목의 경매나 그 밖의 사유로 토지와 그 입목이 각각 다른 소유자에게 속하게 되는 경우에는 토지소유자는 입목소유

> 자에 대하여 지상권을 설정한 것으로 본다.
> ② 제1항의 경우에 지료(地料)에 관하여는 당사자의 약정에 따른다.

입목에 대해서는 민법 총칙 편에서 공부한 적이 있었습니다. 이 법정지상권도 위에서의 논리와 유사하게, 땅과 그 위의 입목이 서로 다른 소유자에게 속하게 되는 경우를 규율하고 있습니다. 참고로 읽어 보시기 바랍니다.

5. 땅과 건물이 같은 소유자에게 속해 있다가, 토지나 건물 둘 중 1개가 매매 등의 이유로 소유가 바뀌어 소유자가 달라지게 되는 경우

제305조에서 설명드렸던 관습상의 법정지상권에 관한 내용입니다. 자세한 내용은 해당 파트를 참조하시면 좋을 것 같습니다.

오늘은 제366조, 법정지상권에 대해 살펴보았습니다. 긴 글 읽으시느라 고생하셨고요, 내일은 제3취득자의 비용상환청구권에 대하여 알아보도록 하겠습니다.

[심화학습] 법정지상권의 구체적 사례

여기서부터는 원하시는 분들만 보셔도 되겠습니다. 아쉽게도 민법 제366조는 표현이 너무 단순하게 되어 있고, 어떤 경우에 구체적으로 법정지상권이 성립하게 되는지 자세히 설명되어 있는 것이 아니어서 제366조의 해석을 놓고 학설과 판례의 견해가 대립하거나, 법정지상권의 성립여부에 따라 저당권자와 설정자 그리고 경매절차에 참여하는 매수인 등 사이에 첨예한 갈등이 발생하는 등 문제가 있다는 지적이 있습니다(전장헌, 2014).

구체적인 사례에 있어서 학설을 다 살펴보기는 어려우니 해당 부분은 관심 있는 분들은 참고문헌을 읽어 보시고, 여기서는 다수설이나 판례의 태도를 중심으로 말씀드리도록 하겠습니다.

① 건물이 없을 당시에 땅에 1번 저당권이 설정되었는데, 이후 2번 저당권(후순위 저당권)이 설정되었을 시점에는 땅 위에 건물이 있었던 경우

법정지상권이 인정 안된다고 보는 학자들이 많습니다. 왜냐, 1번 저당권이 설정될 당시에는 땅 위에 건물이 없었으므로 1번 저당권자는 예상을 할 수 없는 피해를 보기 때문이지요(담보가치의 하락). 따라서 2번 저당권이 실행되어 경매에 의해 땅과 건물의 소유자가 달라지더라도, 법정지상권이 인정되지는 않게 됩니다.

② 땅에 건물이 '건축 중인' 시점에 저당권이 설정된 경우

판례는 이런 경우 사례를 나누어 판단합니다. 먼저 "토지에 관하여 저당권이 설정될 당시 토지 소유자에 의하여 그 지상에 건물이 건축 중이었던 경우 사회관념상 독립된 건물로 볼 수 있는 정도에 이르지 않았다 하더라도 건물의 규모, 종류가 외형상 예상할 수 있는 정도까지 건축이 진전되어 있었고, 그 후 경매절차에서 매수인이 매각대금을 다 낸 때까지 최소한의 기둥과 지붕 그리고 주벽이 이루어지는 등 독립된 부동산으로서 건물의 요건을 갖춘 경우"에는 법정지상권이 성립한다고 봅니다(대법원 2013. 10. 17. 선고 2013다51100 판결).

반대로 생각하면, 저당권 설정 당시에 딸랑 주춧돌 1~2개 정도만 놓여 있었던 경우라면 '건물이 존재하였다'고 보기 어려우므로, 나중에 제366조에 따른 법정지상권이 인정되기는 어려울 겁니다.

③ 땅에 건물이 없었던 상태에서 저당권이 설정된 경우

제366조의 요건상 당연히 안 되겠지요? 심지어 판례는 이렇게 말합니다. 빈 땅에 저당권을 설정할 때, 저당권자가 땅 소유자에게, "너 나중에 저 빈 땅에 건물 지어도 돼."라고 허락까지 했다고 하더라도, "그러한 사정은 주관적 사항이고 공시할 수도 없는 것이어서 토지를 낙찰받는 제3자로서는 알 수 없는 것이므로 그와 같은 사정을 들어 법정지상권의 성립을 인정한다면 토지 소유권을 취득하려는 제3자의 법적 안정성을 해하는 등 법률관계가 매우 불명확하게 되므로 법정지상권이 성립되지 않는다"는 것입니다(대법원 2003.

9. 5. 선고 2003다26051 판결).

④ 땅과 건물이 이미 존재했고, 소유자도 동일하였는데, 땅에 저당권이 설정된 이후 건물만 팔려서 제3자가 건물의 소유자가 되었고, 그런 상황에서 경매가 시작되어 땅이 낙찰된 경우

이건 조금 헷갈리는 경우인데요, 분명 저당권 설정 시점까지는 땅 소유자=건물소유자여서 당연히 법정지상권이 성립할 것으로 예상되었는데 중간에 건물 소유자가 바뀐 케이스입니다.

우리 판례는, 이런 경우에도 법정지상권이 성립한다고 봤습니다. 왜냐하면 "저당권자로서는 저당권설정 당시에 법정지상권의 부담을 예상하였을 것이고 또 저당권설정자는 저당권설정 당시의 담보가치가 저당권이 실행될 때에도 최소한 그대로 유지되어 있으면 될 것이므로 위와 같은 경우 법정지상권을 인정하더라도 저당권자 또는 저당권설정자에게는 불측의 손해가 생기지 않는 반면, 법정지상권을 인정하지 않는다면 건물을 양수한 제3자는 건물을 철거하여야 하는 손해를 입게 되는 점" 때문이라는 겁니다(대법원 1999. 11. 23. 선고 99다52602 판결).

즉 법정지상권을 인정해 줘도 크게 손해 볼 사람은 없는데 인정 안 해주면 크게 손해 볼 사람(현 건물 소유자)은 있으니, 인정해 주자는 것입니다.

⑤ 땅과 건물이 존재했고, 소유자도 동일했는데, 저당권이 설정

된 이후 그 건물을 부수고 새 건물을 세운 경우

이제 슬슬 짜증 나실 텐데 거의 다 왔습니다. 잘 나가다가 중간에 원래 있던 건물을 부수고 새 건물을 지은 경우, 나중에 경매에서 땅과 건물의 소유자가 달라지게 되면 법정지상권은 인정될까요?

일단, 우리 판례는 된다고 봅니다. "민법 제366조 소정의 법정지상권이 성립하려면 저당권의 설정 당시 저당권의 목적이 되는 토지 위에 건물이 존재하여야 하고, 저당권 설정 당시 건물이 존재한 이상 그 이후 건물을 개축, 증축하는 경우는 물론이고 건물이 멸실되거나 철거된 후 재축, 신축하는 경우에도 법정지상권이 성립하며, 이 경우의 법정지상권의 내용인 존속기간, 범위 등은 구 건물을 기준으로 하여 그 이용에 일반적으로 필요한 범위 내로 제한된다."라고 하여 법정지상권을 인정해 주고 있습니다(대법원 1991. 4. 26. 선고 90다19985 판결).

⑥ 땅과 건물이 존재했고, 소유자도 동일했는데, 땅과 건물 모두에 '공동저당권'이 설정된 후에 건물을 부수고 새 건물을 세운 경우

위 ⑤번 사례와 비슷해 보이지만 좀 다릅니다. 이번에는 공동저당권(같은 채권을 담보하기 위해서 여러 개의 부동산 위에 설정하는 저당권)이 설정된 사례인데요, 공동저당권에 대해서는 제368조를 참조하여 주십시오.

대법원은 위 사례에서와 달리, 공동저당권이 설정된 경우에는 다

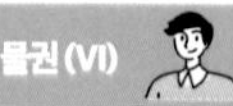

르게 판단합니다. 대법원은 이 경우에는 법정지상권 성립을 부정했습니다(대법원 2003. 12. 18. 선고 98다43601 전원합의체 판결).

위 대법원 사건의 개요는 이렇습니다. 피고는 자신의 땅과 건물에 공동(근)저당을 설정해 주었는데, 이후 건물(주택)을 철거하고 신축건물을 축조하였습니다. 여기에 약 6개월 정도가 소요되었는데, 3개월쯤 작업하던 시점에서 근저당권이 실행되어 땅과 건물이 경매에 넘어갔습니다. 허나 건물이 일단 철거되고 신축건물이 지어지고 있었기 때문에, 건물의 경매절차가 취소되었습니다. 땅만 경매에 넘어가 여러 번 주인이 바뀐 끝에 최종적으로 원고가 땅 주인이 되었습니다. 이에 땅 주인인 원고가 피고를 상대로 건물철거 등을 요구하였고, 피고는 법정지상권이 있다고 맞섰던 사건입니다.

*실제로는 피고가 2명인 사건이었고, 원고와 피고 사이에 신축건물을 매매하기로 하는 계약이 있었던 등 사안이 더 복잡하였습니다. 여기서는 최대한 단순화하여 법정지상권에 대한 내용만 논의합니다.

해당 사건의 판례 이전에 대법원은 공동저당이건 뭐건 따지지 않고, 건물이 철거된 후 신축된 건물에도 법정지상권이 성립된다고 판시해 오고 있었습니다. 그랬던 것이 위 전원합의체 판결로 뒤바뀌게 된 것입니다. 공동저당의 경우에는 그렇지 않다는 겁니다.

왜 입장을 바꾸게 된 걸까요? 그 이유 중에 하나는 공동저당권자가 신축된 건물에는 저당권을 취득하지 못한다는 점입니다. 기존 건

물이 철거된 후 건물이 신축되었다면, 신-구 건물 간의 동일성이 있다고 보기는 어려우므로 옛 건물에 설정되어 있던 저당권은 철거와 함께 소멸한다고 보기 때문입니다. 결국 저당권자는 땅만 경매에 넘길 수밖에 없고, 그리하여 위 사건에서도 건물 주인은 그대로였지만 땅 주인만 여러 차례 바뀌게 되었던 것입니다(최신섭, 2004).

돈을 빌려주는 사람 입장에서 다시 한번 봅시다. 누군가 찾아와서 돈을 빌려달라고 하면서 땅과 건물을 공동저당으로 제공하겠다고 제안합니다. 그렇다면 돈을 빌려줄 사람 입장에서는, "나중에 저 땅과 건물이 경매에 넘어가면 대체 얼마에 팔릴까?" 이렇게 생각할 것입니다. 경매에서 땅과 건물의 소유자가 달라져서 법정지상권이 성립하는 경우도 분명 고려할 겁니다.

예를 들어 따로 떼어 놓고 봤을 때 땅의 가치가 5억원, 건물의 가치가 5억원으로 각각 예상되는데, 법정지상권의 성립을 고려하면 건물의 가치는 더 올라갈 것이고 땅의 가치는 더 낮아지겠죠. 그래서 플러스(+) 마이너스(-) 해서 땅은 대략 3억원, 건물은 7억원 정도로 예상했다고 합시다(그 예상은 나름 정확하다고 합시다). 그러면 채권자는 10억원 정도 담보가치를 고려해서 돈을 빌려줄 겁니다. 담보가치보다는 조금 낮게, 한 8억원 정도 채무자에게 빌려주겠죠.

이런 상황에서 채무자가 마음대로 건물을 부수고 다시 올리면, 공동저당권자는 건물에 대한 저당권을 상실합니다. 그래서 울며 겨자 먹기로 땅만 경매에 넘겨야 합니다. 이때 법정지상권이 성립된다고 해버리면, 땅은 아마 (법정지상권 성립을 예상하고 가격이 낮아져서) 3억원에 낙찰될 겁니다. 그럼 저당권자는 불측의 손해를 보게 되지 않느냐, 이것이 공평한 결론이냐? 저당권자가 너무 억울하지 않으냐? 대법원은 이렇게 본 것입니다.

이것을 대법원(다수의견)은 "공동저당권자가 법정지상권이 성립하는 신축건물의 교환가치를 취득할 수 없게 되는 결과 법정지상권의 가액상당가치를 되찾을 길이 막혀 위와 같이 당초 나대지로서의 토지의 교환가치 전체를 기대하여 담보를 취득한 공동저당권자에게 불측의 손해를 입게 하기 때문이다."라고 표현하였습니다.

다만 이와 같은 결론은 대법관들의 다수의견에 따른 것이고, 일부 대법관은 반대의견을 제시했습니다. 법정지상권은 요건이 갖춰지면 성립하는 것이지, 저당권자의 '기대'가 어땠는지를 따져서 성립하냐 마냐를 따지는 것은 논리적이지 않다는 겁니다.

물론 반대의견을 낸 법관들도 저당권자가 억울한 측면이 있다는 것은 당연히 알고 있었습니다. 하지만 그러한 억울함은 불법행위나 채무불이행으로 기인한 것이므로, 그 전보 문제는 손해배상제도의 적용을 통하여 해결하는 것이 옳다는 것입니다.

위 판례는 다수의견과 반대의견이 첨예하게 대립하였던 사안으로, 대법관들의 논리 전개와 반박, 재반박을 음미할 수 있는 재미있는 사건이므로 관심이 있는 분들은 한번 판결문을 읽어 보시기를 추

천드립니다.

*참고문헌

전장헌, 민법 제366조의 법정지상권의 성립요건과 개선방안에 대한 연구, 한국법학회, 법학연구 제53호, 2014.3., 259면.

최신섭, "저당물의 멸실과 법정지상권성부 (대법원 2003. 12. 18. 98다43601)", 인하대학교 법학연구소, 법학연구 제7집, 2004.12., 232-233면.

제367조(제삼취득자의 비용상환청구권)

저당물의 제삼취득자가 그 부동산의 보존, 개량을 위하여 필요비 또는 유익비를 지출한 때에는 제203조제1항, 제2항의 규정에 의하여 저당물의 경매대가에서 우선상환을 받을 수 있다.

제367조는 제3취득자에 대한 내용입니다. 제3취득자라는 것은 저당권이 이미 설정되어 있는 목적물에 대해서 소유권이나 지상권, 전세권 같은 것을 취득한 제3자를 의미합니다. 우리가 제364조에서 처음 접했던 표현이지요. 제364조에서는 제3취득자가 변제권을 가질 수 있다는 것을 공부했었습니다.

제364조(제삼취득자의 변제) 저당부동산에 대하여 소유권, 지상권 또는 전세권을 취득한 제삼자는 저당권자에게 그 부동산으로 담보된 채권을 변제하고 저당권의 소멸을 청구할 수 있다.

제367조는 이러한 제3취득자에게 비용상환청구권도 있음을 규정하고 있습니다. 저당물의 제3취득자가 부동산의 보존, 개량을 위하여 필요비나 유익비를 지출한 경우, 제203조제1항 및 제2항의 규정에 따라 우선 상환을 받을 수 있다는 것입니다. 제203조 부분이 기억이 잘 안 나시면, 복습하고 오셔도 좋습니다.

제203조(점유자의 상환청구권) ①점유자가 점유물을 반환할 때에는 회복자에 대하여 점유물을 보존하기 위하여 지출한 금액 기타 필요비

의 상환을 청구할 수 있다. 그러나 점유자가 과실을 취득한 경우에는 통상의 필요비는 청구하지 못한다.
②점유자가 점유물을 개량하기 위하여 지출한 금액 기타 유익비에 관하여는 그 가액의 증가가 현존한 경우에 한하여 회복자의 선택에 좇아 그 지출금액이나 증가액의 상환을 청구할 수 있다.
③전항의 경우에 법원은 회복자의 청구에 의하여 상당한 상환기간을 허여할 수 있다.

우리가 공부했던 제203조의 경우, 점유자에게 필요비 및 유익비 상환청구권을 인정하고 있었습니다. 저당물의 제3취득자는 소유권자, 지상권자 또는 전세권자일 것이기 때문에 아마 대부분의 경우 (반드시는 아니지만) 실제 점유도 하고 있을 것입니다.

*학설은 점유 요건이 제367조에 따른 비용상환청구권의 요건이 되어야 하는지에 대해 견해가 엇갈리고 있지만, 실질적으로 점유자도 아닌 제3취득자가 필요비나 유익비를 지출하는 경우는 현실에서 거의 없을 것이므로 논의의 실익은 크지 않을 것이라는 지적이 있습니다(오민석, 2019). 참고만 하세요.

그렇다면 제203조가 있는데도 제367조가 존재하는 이유는 무엇일까요? 두 조문 간에는 큰 차이점이 있습니다. 제367조는 그냥 비용상환청구가 가능하다고 하는 것이 아니라, 저당물의 경매대가에서 우선상환을 받을 수 있는 권리를 주고 있기 때문입니다.

예를 들어 철수가 자신의 건물을 담보로 나부자에게 1억원을 빌리고, 건물에 저당권을 설정했다고 해봅시다. 그리고 저당권 설정계약 및 등기 이후 영희가 철수의 건물에 전세권을 얻었습니다. 영희는 철수의 건물에서 장사를 하려고, 자기 돈을 잔뜩 들여서 건물의 구조 개선 공사도 하고, 증축까지 했다고 합시다. 제367조에 따르면, 영희는 이처럼 건물에 지출한 필요비와 유익비를 경매대가에서 우선적으로 돌려받을 수 있다는 겁니다.

왜 이런 조문을 두고 있는 걸까요? 그건 영희(제3취득자)를 어느 정도 보호하기 위해서입니다. 영희는 저당권이 이미 설정된 후에 권리를 취득한 사람입니다. 그래서 저당권자(나부자)에게는 대항할 수 없는 것이 당연합니다.

하지만 설령 그것이 당연하다고 해도, 영희가 부동산에 들인 돈 모두를 그냥 잃은 셈 치라고 하는 것은 다른 문제입니다. 영희가 부동산에 들인 돈이 꽤 많다면, 적어도 그 부분은 어느 정도 회수할 수 있도록 해주는 것이 공평하지 않을까요? 제367조에는 그런 취지가 담겨 있는 것입니다. 영희는 돈만 들이고 이제 그 부동산을 못 쓰게 될 위기에 처했으니까요.

판례도 같은 입장입니다. 특히 대법원은 이처럼 영희가 부동산에 들인 돈을 일종의 '공익비용'이라고 하면서 제3취득자가 경매를 통해 우선적으로 돌려받을 수 있다고 보고 있습니다: "민법 제367조가 저당물의 제3취득자가 그 부동산에 관한 필요비 또는 유익비를 지출한 때에는 저당물의 경매대가에서 우선상환을 받을 수 있다고 규정한 취지는 저당권설정자가 아닌 제3취득자가 저당물에 관한 필요비 또는 유익비를 지출하여 저당물의 가치가 유지·증가된 경우, 매각대금 중 그로 인한 부분은 일종의 공익비용과 같이 보아 제3취득자가 경매대가에서 우선상환을 받을 수 있도록 한 것이므로 저당물에 관한 지상권, 전세권을 취득한 자만이 아니고 소유권을 취득한 자도 민법 제367조 소정의 제3취득자에 해당한다." (대법원 2004. 10. 15. 선고 2004다36604 판결)

구체적으로 영희는 경매 절차에서 배당요구를 하고, 자신이 얼마를 지출하였는지(필요비 또는 유익비)를 문서 같은 것으로 증명하고, 나중에 철수의 건물이 경매에서 낙찰되어 매각되면 그 대금 중에서 돈을 보전받게 될 것입니다.

*다만, 제203조제2항에서는 회복자의 선택에 따라 지출금액과 증가액 중 하나를 고르게 되어 있는데, 다수 이해관계자가 참여하는 경매의 특성상 이 조문을 그대로 적용하는 것은 어려우므로 둘 중 더 적은 금액을 기준으로 돌려받게 된다고 보는 견해가 있습니다(오민석, 2019:168-169면).

추가로, 제3취득자인 영희가 과실을 취득한 경우라면 통상의 필요비는 청구하지 못할 것입니다(통상의 필요비와 과실 취득에 관한 내용은 제203조 부분을 참조하시기 바랍니다).

오늘까지 살펴본 조문을 포함해서, 우리는 민법이 저당부동산의 제3취득자를 보호하기 위한 여러 규정을 두고 있다는 것을 알 수 있었습니다.

지금까지 공부한 것을 정리하자면, 총 3가지입니다.

첫째, 저당권이 설정된 부동산(저당부동산)의 소유권을 취득한 사람은 그 부동산의 경매절차에 참여하여 매수인이 될 수 있도록 해줍니다(제363조제2항).

둘째, 저당부동산에 소유권, 전세권, 지상권 등을 취득한 제3자는 저당권자에게 (채무자를 대신하여) 빚을 갚아 주고 저당권의 소멸을 청구할 수 있습니다(제364조).

셋째, 저당부동산의 제3취득자가 그 부동산의 보존, 개량을 위하여 필요비 또는 유익비를 지출한 경우라면, 그 비용은 경매대가에서 우선적으로 돌려받을 수 있습니다(제367조).

이처럼 우리 민법이 여러 조문을 두어 제3취득자를 보호하는 이유는, 제3취득자는 채무자가 돈을 제대로 갚지 않으면 부동산이 경매에 넘겨져 자신의 권리(소유권, 전세권, 지상권 등)를 상실할 수 있는 불안정한 지위에 있어 보호의 필요성이 있기 때문입니다(박동진, 2022). 민법의 취지와 위 3가지 보호 장치를 잘 이해하시기 바랍니다.

내일은 공동저당과 대가의 배당, 차순위자의 대위에 관한 내용을 공부하도록 하겠습니다. 조금은 긴 내용이 될 것 같네요.

*참고문헌

김용덕 편집대표, 「주석민법 물권4(제5판)」, 한국사법행정학회, 2019, 166면(오민석).

박동진, 「물권법강의(제2판)」, 법문사, 2022, 501면.

제368조(공동저당과 대가의 배당, 차순위자의 대위)

①동일한 채권의 담보로 수개의 부동산에 저당권을 설정한 경우에 그 부동산의 경매대가를 동시에 배당하는 때에는 각부동산의 경매대가에 비례하여 그 채권의 분담을 정한다.

②전항의 저당부동산중 일부의 경매대가를 먼저 배당하는 경우에는 그 대가에서 그 채권전부의 변제를 받을 수 있다. 이 경우에 그 경매한 부동산의 차순위저당권자는 선순위저당권자가 전항의 규정에 의하여 다른 부동산의 경매대가에서 변제를 받을 수 있는 금액의 한도에서 선순위자를 대위하여 저당권을 행사할 수 있다.

오늘은 제368조에 대해 알아보겠습니다. 내용이 꽤 길어질 것 같습니다.

새로운 개념이 등장합니다. 바로 '공동저당'입니다. 같은 채권의 담보를 위해 여러 부동산에 저당권이 설정된 경우 공동저당이라고 부르는데, 지금부터 예를 들어 이 공동저당에 대해 살펴보도록 하겠습니다.

철수는 이웃인 나부자에게 5천만원을 빌리려고 합니다. 철수는 그동안 살펴본 바 돈 빌릴 이유가 굉장히 많은 친구이므로, 왜 돈이 필요한지는 이제 중요하지 않습니다. 어쨌든 나부자는 담보를 원합니다. 철수는 가문 대대로 물려받은 자신의 주택을 담보로 제공하려고 합니다. 그런데 나부자가 이렇게 말합니다.

"너의 주택만으로는 나는 안심할 수 없다. 내가 빌려준 돈은 5천만원인데, 너의 주택은 가치가 5천만원이 될지 안 될지 모르기 때문이지. 주택이 위치한 땅까지 저당을 걸어라. 계산해보니 땅은 가치가 4천만원은 되는 것 같으니까, 땅까지 저당을 걸면 내가 안심이 되겠다. 그래야만 나는 돈을 빌려줄 것이다."

급전이 필요한 철수는 다른 대안이 없습니다. 그래서 주택뿐 아니라 땅까지 저당권을 설정하여 주기로 합니다. 1개의 채권(철수가 빌린 5천만원의 채권)에 2개의 저당권(주택, 토지에 대한 저당권)이 있는 것인데, 이것이 바로 공동저당입니다.

*1개의 채권을 여러 개의 부동산이 담보할 때 공동저당이라고 부르는데, 반대로 생각하면 여러 개의 채권을 1개의 저당권으로 담보하는 것도 얼마든지 가능합니다. 하지만 일단 그런 경우는 공동저당이라고 부르지는 않습니다.

공동저당이라고 해도 사실 주택에 저당, 토지에 저당권을 설정하는 것이기 때문에 각 부동산 모두 저당권설정등기를 해야 합니다. 하나만 하고 퉁칠(?) 수는 없습니다.

만약 철수가 나부자에게 기일 내에 돈을 갚지 못한다면 나부자(공동저당권자)는 철수의 주택, 토지를 모두 경매에 넘길 수도 있고, 둘 중 하나를 골라서 순차적으로 경매에 넘길 수도 있으며, 이는 나부자가 선택할 수 있습니다. 이를 공동저당권자의 실행선택권이라고 합니다.

여기까지만 보면 실행선택권 외에는 공동저당도 딱히 기존의 저당권과 크게 다를 바 없어 보입니다. 하지만 공동저당에서는 아주 중요하게 고려하여야 할 부분이 있습니다. 바로 후순위저당권자의 이해관계입니다. 우리 민법은 이 부분을 조정하기 위하여 제368조를 두고 있습니다.

일단 공동저당이 걸린 부동산이 경매되는 경우, 그 팔린 돈을 분배하는 2가지 방법이 있는데요, 이를 각각 동시배당과 이시배당이라고 부릅니다. 각각의 경우를 살펴보겠습니다.

1. 여러 부동산이 팔려 동시에 배당되는 경우(동시배당)

제1항에서 규정하고 있는 내용입니다. 공동저당권자인 나부자가 철수의 주택과 토지를 동시에 모두 경매에 넘겼다고 해봅시다. 경매에서 철수의 주택은 예상외로 값을 잘 받아 6천만원, 땅은 예상대로 4천만원에 각각 낙찰되었다고 합시다. 그러면 이제 제368조제1항에 따라, 나부자는 여러 부동산(주택, 땅)의 경매대가를 동시에 배당받을 때에는 각 부동산의 경매대가에 비례하여 받아야 합니다.

*동시배당은 '배당'을 동시에 한다는 것을 의미하지, 반드시 경매신청이 동시에 이루어져야 한다는 것을 뜻하진 않습니다. 하지만 여기서는

이해의 편의를 위해서 땅과 건물이 동시에 경매에 넘어갔다고 가정하고 있습니다.

이게 무슨 말인가 하면, 주택은 6천만원, 땅은 4천만원에 팔렸으므로, 비율은 6:4가 되고, 따라서 나부자는 자신이 받아야 할 5천만원 중 10분의 6인 3천만원은 주택으로부터, 10분의 4인 2천만원은 땅으로부터 회수하면 된다는 것입니다. 궁극적으로 나부자는 5천만원을 모두 회수하였으니, 만족스럽겠죠.

"왜 근데 이렇게 각 부동산에서 나눠서 받아야 합니까? 주택이 6천만원에 팔렸으니까, 그냥 주택에서 5천만원 다 받으면 안 되는 건가요? 그러면 땅 팔린 값에서는 돈을 안 받으면 되는 거잖아요."

이렇게 생각하실 수도 있습니다. 왜 나눠서 굳이 받아야 하는 걸까요? 사실 이건 제368조제1항의 입법취지와도 관련 있는 것인데, 만약 돈을 어디서 받을 것인지까지 공동저당권자가 선택할 수 있게 된다면 의외로 예측하지 못한 피해를 보는 사람이 생길 수 있기 때문입니다. 철수와 나부자의 입장에서는 별로 큰 문제가 되지는 않습니다.

오히려 제3자가 피를 볼 수 있는데요, 위의 사례에서, 철수가 나부자에게 돈을 빌린 이후 다른 사람들에게도 또 돈을 빌리고, 저당권을 설정해 주었다고 해봅시다. 예를 들면 아래와 같은 것입니다.

1. 〈철수의 주택〉 등기(낙찰가 6천만원)

- 1번 공동저당권자(나부자, 빌려준 돈 5천만원)
- 2번 저당권자(최투자, 빌려준 돈 4천만원)

2. 〈철수의 땅〉 등기 (낙찰가 4천만원)
   - 1번 공동저당권자(나부자, 빌려준 돈 5천만원)
   - 2번 저당권자(영희, 빌려준 돈 2천만원)

그러니까 철수가 나부자에게 최초로 돈을 빌리고 공동저당권을 설정해준 후, 돈이 더 필요해서 최투자와 영희에게도 각각 돈을 빌렸다고 가정하는 겁니다. 대신 최투자에게는 주택에 저당권을 설정해주고, 영희에게는 땅에 저당권을 설정해 주었습니다.

제368조제1항에 따라 팔린 가격의 비율에 비례해서 나부자가 돈을 가져갈 경우, 주택이 팔린 돈 6천만원에서 나부자가 3천만원을 가져가게 되므로, (철수의 주택의 후순위 저당권자인) 최투자는 남는 돈 3천만원을 배당받을 수 있게 됩니다.

그리고 땅이 팔린 돈 4천만원에서 나부자가 2천만원을 가져가게 되므로, (철수의 땅의 후순위 저당권자인) 영희는 남은 돈 2천만원을 배당받을 수 있습니다. 결과적으로 최투자는 3천만원이라도 회수할 수 있고, 영희는 자신이 철수에게 빌려준 돈 전부를 회수할 수 있게 되어 그럭저럭 행복합니다.

*경매에서의 집행비용, 제세공과금 등의 문제는 없는 것으로 단순하게

가정하겠습니다. 만약 집행비용이나 제세공과금 등 선순위채권까지 고려하는 경우에는 이러한 비용을 빼고 다시 안분비율을 계산해야 하므로, 내용이 좀 복잡해질 것입니다.

그런데 이런 상황에서, 만약 나부자가 "나는 주택이 팔린 돈 6천만원에서 내 돈 5천만원을 다 받을래." 이렇게 선택할 수 있다고 해봅시다. 그러면 철수의 주택이 팔린 돈 6천만원에서 5천만원이 빠지고, 최투자는 고작 1천만원만 받게 됩니다. 원래대로라면 3천만원을 받아야 했는데, 1천만원으로 줄어 버린 것입니다. 최투자 입장에서는 피를 보게 되는 것이지요.

그래서 제368조제1항은 공동저당권자가 자신의 마음대로 돈을 받아가지 못하게 하고, 동시배당의 경우에는 각 부동산의 경매대가에 따라 돈을 받아가도록 하는 것입니다. 이것을 부담안분의 원칙이라고 부르기도 합니다.

판례는 이에 대하여, "민법 제368조 제1항은 동일한 채권의 담보로 수개의 부동산에 저당권을 설정한 경우에 그 부동산의 경매대가를 동시에 배당하는 때에는 각 부동산의 경매대가에 비례하여 그 채권의 분담을 정하도록 규정하고 있다. 위 규정은 공동저당권의 목적물 전체 환가대금을 동시에 배당하는 이른바 동시배당의 경우에 공동저당권자의 실행선택권과 우선변제권을 침해하지 않는 범위 내에서 각 부동산의 책임을 안분시킴으로써 각 부동산상의 소유자와 차순위 저당권자 기타의 채권자의 이해관계를 조절하는 데에 취지가 있고, 공동근저당권의 경우에도 적용된다."라고 하여 서로 다른 이해관계자 간의 조절을 위한 법규정임을 밝히고 있습니다(대법원 2014. 4. 10. 선고 2013다36040 판결).

2. 여러 부동산이 팔려 다른 시점에 배당되는 경우(이시배당)

위에서 우리가 살펴본 사례는 2개 이상의 부동산이 동시에 경매에 넘어가 팔리고, 동시에 배당되는 것을 가정하였습니다. 그런데 현실에서는 판매대금이 동시에 배당되지 않고, 순차로 배당되는 수도 있습니다. 이런 경우를 이시(異時)배당이라고 하는데, 제368조제2항은 바로 이시배당의 경우를 다루고 있습니다.

제368조제2항에 따르면, 공동저당의 여러 부동산 중 일부의 경매대가를 먼저 배당하는 이시배당의 경우에는 그 대가에서 채권 전부의 변제를 받을 수 있다고 합니다. 네, 그냥 먼저 처분한 것에서 그냥 채권을 회수하라는 뜻입니다. 간단하지요.

그런데 다음 문장이 문제입니다. 제2항 후단에서는, 경매된 부동산의 차순위 저당권자는 선순위 저당권자가 전항의 규정(제1항)에 따라 다른 부동산의 경매대가에서 변제를 받을 수 있는 금액의 한도에서 선순위자를 대위하여 저당권을 행사할 수 있다고 합니다. 이건 무슨 뜻일까요?

일단, '대위'라는 단어는 우리가 이미 한번 본 적이 있었습니다. 바로 민법 제342조에서 공부한 '물상대위'입니다. 제342조에서 공부했던 것은 질권에서의 물상대위인데, 제368조에서는 그냥 '대위'를 다루고 있습니다. 한자는 같지만 조금 의미는 다른데, 물상대위는 담보물권의 효력이, 그 목적물에 갈음하는 어떤 것에 미친다는 의미이고, 여기서의 대위는 '피대위자'가 가지는 일정한 물건 또는 권리가 법률상 당연히 '대위자'에게 이전한다는 것을 뜻합니다.

그렇다면 제368조제2항 후단에서는 어떤 권리가 누군가에게 이전한다는 것을 규정하고 있는 것인데요, 과연 무슨 권리가 누구에게 이전한다는 뜻일까요? 위의 사례를 다시 살펴봅시다.

1. 〈철수의 주택〉 등기(낙찰가 6천만원)
   - 1번 공동저당권자(나부자, 빌려준 돈 5천만원)
   - 2번 저당권자(최투자, 빌려준 돈 4천만원)

2. 〈철수의 땅〉 등기 (낙찰가 4천만원)
   - 1번 공동저당권자(나부자, 빌려준 돈 5천만원)
   - 2번 저당권자(영희, 빌려준 돈 2천만원)

여기서 공동저당권자인 나부자가 철수의 땅 말고 주택만 먼저 경매에 넘겼다고 해봅시다. 철수의 주택은 6천만원에 낙찰되었고, 나부자는 여기서 자신의 채권 5천만원을 회수하면 됩니다. 간단합니다.

문제는 주택의 2번 저당권자인 최투자입니다. 최투자 입장에서 생각해 보세요. 좀 억울할 수도 있지 않습니까? 만약 나부자가 동시배당을 했다면, 최투자는 제368조제1항에 따라 3천만원을 배당받을 수 있었을 겁니다. 그런데 나부자가 주택을 먼저 경매에 넘기기로 결정했다는 이유 하나 때문에, 자신은 이제 1천만원밖에 못 받게 됩니다. 나부자의 마음먹기에 따라 자신이 받을 돈이 줄어들었다가 늘어났다가 하는 건데요.

이런 억울함을 풀어 주기 위해 제368조제2항이 있습니다. 일단, 나부자는 별로 억울할 것 없이 자신의 채권 5천만원을 모두 해소하고 끝이 납니다. 그냥 돈 들고 집에 가면 됩니다.

그리고 최투자의 경우, 동시배당을 할 때에 비하여 이시배당이 이루어짐으로써 사실상 배당의 불이익을 받게 된 후순위 저당권자이므로, 선순위 공동저당권자(나부자)의 미실행 저당권이 후순위 저당권자(최투자)에게 법률상 당연히 이전하는 것으로 해석됩니다(오민석, 2019). 이것이 바로 '대위'입니다(저당권이 나부자에게서 최투자로 이동).

즉, 나부자의 입장에서는 이미 자신의 피담보채권이 만족을 얻어 소멸하였음에도 불구하고 자신의 저당권은 법률에 따라 최투자에게도 이전되어, 최투자(후순위 저당권자)의 피담보채권을 담보하게 되는 독특한 상황이 발생하는데요, 원래는 피담보채권이 소멸하면서 함께 소멸해야 할 저당권이 살아 숨 쉬는 것으로서, 저당권의 부종성에 대한 예외라고 해석하기도 합니다(오민석, 2019).

*저당권의 부종성에 대해서는 구체적으로 내일, 제369조에서 살펴볼 예정입니다. 제369조를 읽으면서 한번 비교하여 보시는 것도 좋을 것 같습니다.

따라서 제368조제2항을 다시 풀어써보면, 다음과 같습니다 :

"공동저당에서 여러 부동산 중 일부의 부동산이 먼저 팔려서 경매대가를 먼저 배당하는 경우(이시배당)에는, 공동저당권자(나부자)는 먼저 배당되는 부동산에서 채권 전부의 변제를 받을 수 있다. 그런데 먼저 팔린 부동산의 차순위 저당권자(최투자)는 선순위 저당권자(나부자)가 전항의 규정(제1항)에 의하여 동시배당을 받는다고 가정했을 때 가져갈 수 있는 금액의 한도에서 나부자를 대위하여 저당권을 행사할 수 있다."

그렇다면 이제 최투자는 어떻게 하면 될까요? 최투자는 선순위 저당권자인 나부자를 대위하여, 아직 팔리지 않은 철수의 다른 부동산(땅)에 대해서 저당권을 행사할 수 있게 됩니다. 따라서 나중에 철수의 땅이 경매에서 4천만원에 팔리게 된다면, 최투자는 거기서 나머지 2천만원을 보전받을 수 있는 것입니다. 특히 최투자는 (나부자가 가졌던) 땅의 1순위 저당권에 기하여 영희보다도 앞서 돈을 변제

받을 수 있습니다. 결과적으로 최투자가 받게 되는 금액은 3천만원, 영희가 받게 되는 금액은 2천만원이 되어, 동시배당에서와 같은 결과가 됩니다.

오늘은 제368조를 공부하면서, 동시배당에서와 이시배당에서 공동저당권자가 어떻게 배당을 받게 되는지, 그리고 혹시 그로 말미암아 불이익을 받을 수 있는 후순위 저당권자 등은 어떻게 보호할 수 있는지를 공부하였습니다.

내일은 저당권의 부종성에 대해 살펴보겠습니다.

*참고문헌

김용덕 편집대표, 「주석민법 물권4(제5판)」, 한국사법행정학회, 2019, 203면(오민석).

第369조(부종성)

저당권으로 담보한 채권이 시효의 완성 기타 사유로 인하여 소멸한 때에는 저당권도 소멸한다.

제369조는 부종성에 관한 내용입니다. 우리는 예전에 부종성에 대해 이미 공부한 적이 있었습니다. 바로 지역권을 공부하던 때였지요. 제292조입니다. 부종성이란 무언가에 붙어서 따라다니는, 떼어 놓고 생각하기 힘든 성질을 뜻한다고 했었습니다. 제292조에서 배운 지역권의 부종성은, 지역권이 요역지의 소유권에 '붙어서 따라다닌다는' 내용이었습니다. 그렇다면 저당권의 부종성이란 어떤 걸까요?

*참고로, 이러한 성질에 대해서 "부종성을 담보권의 피담보채권에 대한 일방적 종속성으로 이해한다면, 피담보채권과 저당권은 주종의 관계에 있다"라고 표현하기도 합니다(홍윤선, 2020).

第292조(부종성) ①지역권은 요역지소유권에 부종하여 이전하며 또는 요역지에 대한 소유권이외의 권리의 목적이 된다. 그러나 다른 약정이 있는 때에는 그 약정에 의한다.
②지역권은 요역지와 분리하여 양도하거나 다른 권리의 목적으로 하지 못한다.

저당권은 무엇을 '따라다니는' 걸까요? 그건 바로 피담보채권입

니다. 즉, 피담보채권이 소멸하면 저당권도 당연히 (존재할 이유가 없으므로) 사라져야 합니다. 제369조에서는 이를 저당권으로 담보한 채권(피담보채권)이 시효의 완성 등 그 밖의 사유로 소멸한 경우 저당권도 (따라서) 소멸한다고 설명하고 있습니다.

그런데 우리는 지난 제361조에서 '수반성'이라는 개념을 살펴보았던 바 있습니다. 부종성과 수반성, 얼핏 보면 비슷해 보이는데 차이점은 무엇일까요?

수반성은 피담보채권이 (상속이나 양도 등으로) 옮겨가면 담보물권도 함께 이전하게 된다는 성질입니다. 반면, 부종성은 피담보채권이 존재하여야 담보물권도 존재할 수 있다는 것을 의미합니다. 피담보채권이 있어야 담보물권도 성립하고(성립의 측면), 피담보채권이 소멸하면 담보물권도 함께 없어지며(소멸의 측면), 피담보채권의 범위 내에서만 담보물권도 인정된다는 겁니다(내용의 측면)(박동진, 2022).

학계에서는 부종성을 넓게 보아 수반성을 포함하는 개념으로 보기도 하고, 부종성과 수반성의 개념을 구분하여 사용하기도 합니다(김동호, 2005). 한편, 수반성의 개념을 '존속에 있어서의 부종성'이라고 표현하는 경우도 있습니다(강태성, 2021). 참고로 알아 두시기 바랍니다.

우리는 지금까지 부종성이 다소 완화되는 예외에 대해서 중간중

간 살펴보았던 바 있습니다. 대표적으로 근저당권이 그렇지요. 피담보채무가 소멸하면 저당권도 없어져야 하지만, 근저당권에서는 나중에 채무가 최종 확정될 때까지 채무가 없어지더라도 담보물권이 소멸하지 않으니까요. 또한, 제368조제2항에서 살펴본 후순위저당권자의 대위도 그렇습니다. 원래는 공동저당권자가 경매에서 채권을 만족하고 나면 저당권이 모조리 소멸해야 맞는데, 후순위저당권자에게 저당권이 넘어가도록 특별히 인정해 주고 있으니까요. 부종성의 개념과 지금까지 살펴본 예외를 떠올려 보시면, 이해가 보다 쉬울 것입니다.

오늘은 저당권의 부종성, 따라다니는 성질에 대해 살펴보았습니다. 내일은 준용규정에 대해 알아보도록 하겠습니다.

*참고문헌

강태성, "피담보채권에 대한 비판적 검토", 민사법의 이론과 실무학회, 민사법의 이론과 실무 제24권제3호, 2021, 17면.

김동호, "지상권의 부종성 수반성", 한국법정책학회, 법과 정책연구 제5권제2호, 2005, 1119면.

박동진, 「물권법강의(제2판)」, 법문사, 2022, 377면.

홍윤선, "저당권의 부종성의 이론적 고찰 - 구조와 기능을 중심으로 -", 이화여자대학교 법학연구소, 법학논집 제25권제1호, 2020, 81면.

제370조(준용규정)

제214조, 제321조, 제333조, 제340조, 제341조 및 제342조의 규정은 저당권에 준용한다.

이제는 제법 '준용'이라는 표현에도 익숙해지셨을 겁니다. 우리가 전세권, 질권 등을 공부할 때에도 파트 거의 마지막 부분에는 준용규정이라는 조문이 나오고는 했었지요. 그럼 오늘 공부할 제370조에서는 어떤 조문들을 준용하고 있는지 확인해 보겠습니다. 하나씩 살펴볼까요?

각각의 조문에 대한 상세한 내용은 앞서 말씀드린 해당 부분을 참고하여 주시고, 여기서는 왜 제370조에서 이런 조문들을 준용하고 있는지를 위주로 살펴볼 것입니다. 복습의 의미도 있으니 차근차근 공부하도록 하겠습니다.

1. 제214조: 소유물방해제거청구권 및 방해예방청구권의 준용

제214조(소유물방해제거, 방해예방청구권) 소유자는 소유권을 방해하는 자에 대하여 방해의 제거를 청구할 수 있고 소유권을 방해할 염려 있는 행위를 하는 자에 대하여 그 예방이나 손해배상의 담보를 청구할 수 있다.

먼저 제214조의 경우, 제3장 [소유권], 제1절 [소유권의 한계]에서 공부한 내용입니다. 소유권에 기한 방해제거청구권과 방해예방청구권에 관한 것입니다. 제370조에서는 제214조를 준용하도록 하고 있으므로, 누군가가 저당권을 침해하려고 한다면, 혹은 그러한 염려가 있다면 방해제거청구권이나 방해예방청구권을 행사할 수 있을 것입니다.

극단적인 예시이지만, 나부자가 철수의 땅에 저당을 잡고 돈을 빌려주었는데(나부자=저당권자), 최악당이라는 사람이 철수의 땅에 엄청나게 큰 장애물을 가져다 놓으려고 한다면 문제가 될 것입니다. 그 장애물을 생긴다면 철수의 땅은 활용할 수 없게 되어 가치가 떨어질 것이고, 나부자의 저당권 역시 방해를 받게 되겠지요. 따라서 나부자는 최악당에게 그 장애물을 두는 행위를 중지할 것을 청구할 수 있을 것입니다.

참고로, 우리가 공부했던 소유권에 기한 권리 중에는 소유물반환청구권(제213조)도 있었습니다. 그런데 제370조는 제213조는 준용하지 않고 있습니다. 왜 그럴까요? 그 이유는, 저당권은 점유를 수반하는 권리가 아니므로 반환청구권을 인정할 만한 이유가 별로 없기 때문입니다.

제213조(소유물반환청구권) 소유자는 그 소유에 속한 물건을 점유한 자에 대하여 반환을 청구할 수 있다. 그러나 점유자가 그 물건을 점유할 권리가 있는 때에는 반환을 거부할 수 있다.

2. 제321조: 유치권의 불가분성의 준용

> 제321조(유치권의 불가분성) 유치권자는 채권전부의 변제를 받을 때까지 유치물전부에 대하여 그 권리를 행사할 수 있다.

다음으로 준용되는 조문은 제321조입니다. 이 조문은 제7장 [유치권]에 있던 것으로, 유치권자는 채권 전부의 변제를 받을 때까지, 유치물의 일부분으로도 피담보채권의 전부를 담보할 수 있다는 것입니다(유치권의 불가분성).

그동안 공부했던 것을 돌이켜 보면, 제321조 같은 경우 저당권에서만 준용되었던 것이 아니라, 동산질권(제343조)이나 권리질권(제355조)에서도 준용되었던 적이 있습니다. 그러니까 불가분성이라는 것이 유치권, 질권, 저당권과 같은 담보물권에 모두 적용되고 있는 것이지요.

> 제343조(준용규정) 제249조 내지 제251조, 제321조 내지 제325조의 규정은 동산질권에 준용한다.
> 제355조(준용규정) 권리질권에는 본절의 규정외에 동산질권에 관한 규정을 준용한다.

이를 저당권에 준용하면, 저당권자는 피담보채권의 전부를 다 변제받을 때까지 저당물 전체에 대해서 저당권을 행사할 수 있다고 보아야 할 것입니다.

이러한 불가분성은 해석상 2가지 방향으로 생각해 볼 수 있습니다. 먼저 피담보채권의 일부만 남아있더라도(예를 들어 10억원을 빌려 가서 3억원만 갚고 7억원이 남아 있는 경우), 저당권도 30%는 까주는(?) 것이 아닙니다. 원래의 저당물 전체에 대해서 저당권의 효력이 미치게 됩니다. 일부 갚았다고 저당권도 일부 소멸하는 것은 아니라는 것이지요.

다음으로, 저당권의 목적물인 저당부동산이 일부 멸실되거나 없어지더라도 저당권을 까이지 않습니다. 즉, 주택에 저당을 걸었는데 모종의 사유로 주택의 30%가 날아간다고 해도, 저당권의 30%를 까주지는 않는다는 이야기입니다. 저당권은 어쨌거나 남아 있는 저당물에 그대로 남아서 피담보채권을 담보하게 되는 것입니다.

3. 제333조: 동산질권의 순위의 준용

> 제333조(동산질권의 순위) 수개의 채권을 담보하기 위하여 동일한 동산에 수개의 질권을 설정한 때에는 그 순위는 설정의 선후에 의한다.

다음은 제333조입니다. 제8장 [질권]의 제1절 [동산질권]에 있는 조문으로, 여기서부터 제342조까지의 조문은 모두 같은 챕터에 들어가 있습니다. 제333조를 제370조에서 준용하여 해석하면, 여러 개의 저당권이 1개의 목적물에 설정되는 경우, 그 저당권 사이의 우열은 누가 '먼저' 저당권을 설정하였는지에 따라 결정하면 된다는 것입니다.

한 가지 여기서 중요한 것은, 동산질권에서와 다르게 저당권은 등기되는 권리이므로, 시간상 누가 먼저인지를 판단하는 기준도 등기를 기준으로 한다는 것입니다. 즉, 저당권의 순위는 등기의 선후에 따라 결정되고, 엄밀히는 저당권 설정등기신청서의 접수 순서에 따라 정해진다고 보아야 할 것입니다(오민석, 2019).

예를 들어 A라는 부동산에 저당권을 설정하기로 철수가 먼저 계약을 했다고 하더라도, 등기를 접수한 시각이 영희보다 늦었다면 영희가 선순위 저당권자가 되는 것입니다. 나중에 영희의 저당권이 소멸하고 나서야 철수는 저당권의 순위가 상승할 수 있을 것입니다.

4. 제340조: 질물 이외의 재산에서의 변제 준용

제340조(질물 이외의 재산으로부터의 변제) ① 질권자는 질물에 의하여 변제를 받지 못한 부분의 채권에 한하여 채무자의 다른 재산으로부터 변제를 받을 수 있다.
② 전항의 규정은 질물보다 먼저 다른 재산에 관한 배당을 실시하는 경우에는 적용하지 아니한다. 그러나 다른 채권자는 질권자에게 그 배당금액의 공탁을 청구할 수 있다.

다음은 제340조입니다. 어찌 보면 자연스러운 이야기인데, 저당권자는 저당권에 의해서 변제를 받지 못하는 경우에는, 돈을 덜 받은 부분의 채권에 대해서는 채무자의 다른 재산에서 회수할 수 있는 기회가 있습니다. 저당권자라고 해서 자기가 빌려준 돈을 100% 저당물에서만 회수하라고 한다면 그건 좀 가혹하겠지요. 어쨌거나 채무자가 저당부동산 외에 다른 재산이 있다면, 그것으로부터 채권을 만족시킬 수도 있어야 할 것입니다.

예를 들어 나부자가 철수에게 10억원을 빌려주고 철수의 주택을 저당 잡았다고 해봅시다. 나중에 철수가 돈을 못 갚아서 나부자는 저당권을 실행했고, 부동산이 경매에서 팔렸는데 부동산이 싸게 낙찰되었다거나 아니면 선순위 저당권자가 있다거나 하는 사정이 있으면 나부자는 10억원 전부를 회수하지 못하게 될 수 있습니다. 5억원만 회수한다든지, 그렇게 되는 거지요.

이렇게 되면 나부자는 아직 못 받은 5억원에 대해서, 철수의 다른 재산(예를 들어 철수의 다른 땅이 있다거나 아니면 자동차, 오토바이 등이 있는 경우)에 강제집행을 할 수 있을 것입니다.

아직 우리가 민사집행법을 공부하지는 않았으므로 강제집행의 내용과 절차는 다소 생소한 부분이 있으실 텐데, 여기서는 그냥 국가 공권력의 힘을 빌려서 돈 안 갚는 사람(채무자인 철수)의 재산을 환가하는(돈으로 바꾸는) 절차라고 단순히 생각하고 지나가도 무방합니다. 어쨌든 중요한 것은 나부자는 5억원을 마저 회수할 기회가 있다는 것이지요.

*강제집행에서는 집행권원의 문제가 따라오는데, 여기서는 그런 문제는 모두 해결되었다고 전제하고 설명은 생략하도록 하겠습니다. 궁금하신 분들은 강제집행에 대해 따로 검색해 보시길 추천드립니다.

사실 저당권을 실행하기 전이라고 해도 나부자가 철수의 다른 재산에 대해 강제집행을 해서 10억원의 채권을 회수하는 것도 원칙적으로 가능은 합니다. 다만 현실에서는 굳이 저당권이 있는데(우선변제의 강력한 효력이 있지요), 저당권을 실행하지 않고 철수의 다른 재산에 먼저 손을 댈 필요성을 잘 못 느끼기 때문에 보통은 저당권을 먼저 실행하고는 합니다. 또한 다른 재산에 먼저 손을 대는 경우 철수의 다른 채권자가 불만을 품고 나부자에 대해 강제집행 이의를 제기할 수 있기 때문에, 좀 번거로운 부분이 있기는 합니다.

그리고 제340조제2항 단서도 준용되므로, 철수의 다른 채권자는 저당권자인 나부자에게 배당금액의 공탁을 청구할 수 있을 것입니다. 이 부분은 제340조 파트에 설명드린 내용과 비교하여 보시면 이해하실 수 있을 거예요.

5. 제341조: 물상보증인 구상권의 준용

제341조(물상보증인의 구상권) 타인의 채무를 담보하기 위한 질권설정자가 그 채무를 변제하거나 질권의 실행으로 인하여 질물의 소유권을 잃은 때에는 보증채무에 관한 규정에 의하여 채무자에 대한 구상

권이 있다.

물상보증인의 개념에 대해서는 제341조를 공부하면서 말씀드렸습니다. 물상보증인은 단순하게 생각하면 남이 돈을 빌려 쓰는데 자신의 물건을 담보로 제공해준 사람이라고 할 것입니다. 제341조를 저당권에 준용하여 해석하면, 이렇게 예시를 들 수 있을 것입니다.

철수가 돈이 급하여 나부자에게 돈을 빌리려고 하는데, 가난한 철수는 뭐 담보로 제공할 것도 없습니다. 이에 철수를 짝사랑하던 영희가, 본인 소유의 주택을 담보로 제공하였고 나부자는 그 주택에 저당권을 설정한 후 철수에게 돈을 빌려준 것입니다. 나중에 철수가 결국 해보려던 사업이 잘 안 되어 나부자에게 돈을 못 갚게 될 경우, 나부자는 영희의 주택을 경매에 넘겨서 채권을 회수할 것입니다(혹은 주택을 잃고 싶지 않은 영희가 아예 대신 철수의 빚을 갚아 줄 수 있을 것입니다).

이런 슬픈 일이 일어날 경우, 영희는 보증채무에 관한 규정에 의하여(보증채무에 관한 규정은 제341조에서 간략하게 말씀드렸으니 참고 바랍니다) 철수(채무자)에게 구상권을 갖게 되는 것입니다. 쉽게 말하면, 철수에게 돈 내놓으라고 영희가 요구할 수 있는 것입니다.

6. 제342조: 물상대위의 준용

제342조(물상대위) 질권은 질물의 멸실, 훼손 또는 공용징수로 인하여 질권설정자가 받을 금전 기타 물건에 대하여도 이를 행사할 수 있다. 이 경우에는 그 지급 또는 인도전에 압류하여야 한다.

다음은 제342조입니다. 물상대위에 대한 조문인데, 질물에 대한 멸실, 훼손 또는 공용징수가 발생해서 질물을 대신하게 된 금전(또는 기타의 물건)이 질권설정자에게 귀속되는 경우, 질권자가 그러한 금전(또는 기타의 물건)에 대해서도 질권을 행사할 수 있다는 의미였습니다.

이를 저당권에 적용하게 되면, 저당권자 역시 저당물이 멸실, 훼손, 공용징수로 인하여 어떠한 금전 등으로 대신될 때, 그러한 금전 등에도 저당권을 행사할 수 있게 될 것입니다. 이에 대해서, "저당목적물의 일부가 멸실·훼손되거나 공용징수되어 물상대위가 인정되는 경우에는 저당권자는 잔존부분에 대한 저당권과 함께 그 일부를 갈음하는 금전 기타의 물건에 대한 물상대위권을 경합적으로 행사할 수 있다"라고 표현하기도 합니다(오민석, 2019; 277면).

엄밀하게는 물상대위권은 금전(또는 그 밖의 물건)의 지급 또는 인도 전에 압류하여야 하는 것이니까(제342조 단서), 물상대위권의 목적이 되는 것은 금전 그 자체가 아니라 금전에 대한 지급청구권이나 물건에 대한 인도청구권이라고 할 수 있을 것입니다(김준호,

2017). 왜 지급이나 인도 전에 압류를 하여야 하는지에 대해서는 제342조를 공부할 때 말씀드렸던 바 있으므로, 그것으로 갈음하도록 하겠습니다.

오늘은 준용규정에 대해 살펴보았습니다. 아무래도 준용되는 조문만 딱 적어 놓아서는 이해하기가 까다로운 부분도 있기 때문에, 복습 겸 해서 하나씩 뜯어보았습니다. 내일은 지상권이나 전세권을 목적으로 하는 저당권에 대해 공부하도록 하겠습니다.

*참고문헌

김준호, 민법강의, 법문사, 제23판, 2017, 855면.

김용덕 편집대표, 「주석민법 물권4(제5판)」, 한국사법행정학회, 2019, 263면(오민석).

제371조(지상권, 전세권을 목적으로 하는 저당권)

① 본장의 규정은 지상권 또는 전세권을 저당권의 목적으로 한 경우에 준용한다.

② 지상권 또는 전세권을 목적으로 저당권을 설정한 자는 저당권자의 동의없이 지상권 또는 전세권을 소멸하게 하는 행위를 하지 못한다.

우리가 지금까지 공부한 저당권의 기본적인 콘셉트는 부동산을 담보로 한다는 것이었습니다. 땅이나 건물 같은 것이었지요. 동산이나 권리를 목적으로 담보를 잡는 질권과는 구별되는 특징이기도 했습니다.

특히 권리질권의 경우, 제345조 단서에서 부동산의 사용 또는 수익을 목적으로 하는 권리는 권리질권의 목적이 될 수 없다고 하였지요. 그래서 부동산의 사용·수익을 목적으로 하는 전세권이나 지상권은 권리질권의 목적이 될 수 없다고 하였습니다.

제345조(권리질권의 목적) 질권은 재산권을 그 목적으로 할 수 있다. 그러나 부동산의 사용, 수익을 목적으로 하는 권리는 그러하지 아니하다.

그런데 사실 저당권은 반드시 땅이나 건물에만 성립하는 것은 아닙니다. 바로 지상권이나 전세권도 저당권의 목적이 될 수 있는데,

제371조는 이에 대해서 설명하고 있습니다. 참고로 우리가 전세권에 대해 공부할 때, 제306조에서도 전세권은 담보로 제공할 수 있다라는 사실을 공부했었지요. 그러니까 제306조에서 이미 전세권이 저당권의 담보가 될 수 있다는 암시를 줬던 셈입니다.

제306조(전세권의 양도, 임대 등) 전세권자는 전세권을 타인에게 양도 또는 담보로 제공할 수 있고 그 존속기간내에서 그 목적물을 타인에게 전전세 또는 임대할 수 있다. 그러나 설정행위로 이를 금지한 때에는 그러하지 아니하다.

제1항은, 본장의 규정(제9장, 저당권)이 지상권이나 전세권을 담보로 하여 설정된 저당권에도 준용된다고 말합니다. 예를 들어 보겠습니다. 철수는 건물이 하나 있습니다. 그는 자신의 건물을 영희로 하여금 사용하게 해 주고, 대신 전세금 2억원을 받았습니다. 전세권 설정계약을 하고 등기도 했지요.

전세권자인 영희는 이후 급히 돈을 좀 쓸 일이 생겨서 나부자에게 2억원의 돈을 빌렸습니다. 그러나 영희는 따로 부동산도 없고 담보로 잡을 만한 자동차도 없어서, 나부자는 영희가 가진 전세권에 저당권을 걸기로 합니다.

만약 영희가 나중에 나부자에게 2억원을 갚지 못한다면, 나부자는 경매에 '전세권' 자체를 넘겨서 전세권을 매각하고, 전세권이 팔린 돈으로 자신의 채권을 회수하면 됩니다. 따라서 경매절차에서 전세권을 낙찰받은 매수인은 그 전세권을 취득하면 되는 것입니다.

*원래 민사집행법은 담보권 실행 등을 위한 경매에서 채권과 그 밖의 재산권에 대한 담보권의 실행은 제2편 제2장 제4절 제3관의 규정(금전채권에 기초한 강제집행에서 채권과 그 밖의 재산권에 대한 강제집행)을 준용하도록 하고 있습니다. 그래서 전세권도 권리니까, 마치 이러한 규정이 적용되어야 할 것처럼 보입니다. 그러나 학설은 제371조가 '본장의 규정'(저당권에 관한 민법의 규정)이 준용된다고 하였으므로 본장에서 규정한 것과 같이 부동산경매절차에 따른다고 봅니다(김준호, 2017). 이 부분은 민사집행법을 공부한 후에 이해해도 괜찮은 것이므로, 여기서는 그냥 무시하고 넘어가셔도 좋습니다.

그런데 여기서 한 가지 신경 쓰이는 부분이 있습니다. 전세권이라는 것은 보통 존속기간이 정해져 있을 것입니다. 나부자가 영희의 전세권을 목적으로 하는 저당권자(전세권저당권자)인데, 만약 나부자가 영희에게 빌려준 돈을 받지도 못한 상황인데 전세권이 존속기간 만료로 소멸해 버리면 어떻게 될까요? 대충 생각해 봤을 때 존속기간이 끝나면 전세권은 없어지고, 저당권의 목적이 사라졌으므로 저당권도 소멸해야 할 것 같습니다.

이 문제에 대해서 학자들의 의견은 좀 갈립니다. 방금처럼 전세권이 없어졌으니 당연히 저당권도 소멸한다고 보기도 하고, 전세권에는 용익물권적 기능과 담보물권적 기능이 모두 있는데 존속기간이 만료된 경우에도 용익물권적 기능만 없어질 뿐 담보물권적 기능을

토대로 해서 저당권은 존속할 수 있다는 견해 등 여러 가지 의견이 있습니다(오민석, 2019).

우리의 판례는, "전세권이 기간만료로 종료된 경우 전세권은 전세권설정등기의 말소등기 없이도 당연히 소멸하고, 저당권의 목적물인 전세권이 소멸하면 저당권도 당연히 소멸하는 것이므로 전세권을 목적으로 한 저당권자는 전세권의 목적물인 부동산의 소유자에게 더 이상 저당권을 주장할 수 없다."라고 하여, 일단 전세권 자체에 대한 저당권의 실행은 불가능하다고 봅니다(대법원 1999. 9. 17. 선고 98다31301 판결).

그러나 판례는 여기서 멈추지 않는데, "전세권에 대하여 설정된 저당권은 민사소송법 제724조 소정의 부동산경매절차에 의하여 실행하는 것이나, 전세권의 존속기간이 만료되면 전세권의 용익물권적 권능이 소멸하기 때문에 더 이상 전세권 자체에 대하여 저당권을 실행할 수 없게 되고, 이러한 경우는 민법 제370조, 제342조 및 민사소송법 제733조에 의하여 저당권의 목적물인 전세권에 갈음하여 존속하는 것으로 볼 수 있는 전세금반환채권에 대하여 추심명령 또는 전부명령을 받거나(이 경우 저당권의 존재를 증명하는 등기부등본을 집행법원에 제출하면 되고 별도의 채무명의가 필요한 것이 아니다), 제3자가 전세금반환채권에 대하여 실시한 강제집행절차에서 배당요구를 하는 등의 방법으로 자신의 권리를 행사할 수 있을 뿐이다."라고 하고 있습니다(대법원 1995. 9. 18.자 95마684 결정).

*위 판례에서는 민사소송법이라고 하고 있는데, 민사집행법은 2002년 처음 제정되었고 그 이전에는 민사집행에 관한 규정이 민사소송법에 포함되어 있었기 때문에 그렇습니다.

즉, 우리가 어제 공부한 제370조와 제342조(물상대위)에 비추어 볼 때, 목적물인 전세권이 없어졌더라도 그 없어진 전세권에 갈음하여 존속하는 것으로 볼 수 있는 것이 바로 '전세금반환채권'이고, 바로 이 채권에 대해 저당권자가 물상대위권을 행사할 수 있다는 것입니다. 전세권과 전세금반환채권은 서로 다른 개념이라는 것에 주목하시기 바랍니다.

또한, 우리 판례는 이처럼 전세권저당권자가 물상대위권을 행사하는 경우, (있다가 없어진) 저당권의 효력이 존속한다고 인정해 주어 전세금반환채권으로부터 다른 채권자보다 우선변제를 받을 수 있도록 하고 있습니다(박동진, 2022). 그러니까 전세권저당권자도 너무 억울하지만은 않을 것입니다.

정리하자면 이렇습니다. 나부자는 전세권의 존속기간이 만료되기 전이라면, 전세권을 경매에 넘겨 자신의 채권을 회수할 수 있습니다. 만약 전세권의 존속기간이 만료된 후라면, 전세권저당권은 소멸하므로 대신 물상대위권을 행사하여야 합니다(구체적인 방법은 위 95마684결정례 참조). 전세금을 들고 있는 철수에게서 돈을 받아내는 것이지요.

한편, 지상권의 경우는 어떨까요? 지상권이 돈을 받기 전 존속기간의 만료로 없어지는 경우, 전세권처럼 전세금반환청구권과 같은 것이 지상권에는 없기 때문에 지상권을 목적으로 한 저당권 역시 지상권과 함께 소멸한다고 볼 수밖에 없다고 합니다(오민석, 2019).

제2항을 보겠습니다. 지상권이나 전세권을 목적으로 저당권을 설정한 자는 저당권자의 동의 없이는 지상권이나 전세권을 소멸하게 하는 행위를 하지 못한다고 합니다. 우리는 이것과 비슷한 구조의 조문을 이미 공부한 적이 있습니다. 바로 전세권 파트(제304조)에서와 권리질권(제352조) 등이 그것이지요.

제304조(건물의 전세권, 지상권, 임차권에 대한 효력) ① 타인의 토지에 있는 건물에 전세권을 설정한 때에는 전세권의 효력은 그 건물의 소유를 목적으로 한 지상권 또는 임차권에 미친다.
② 전항의 경우에 전세권설정자는 전세권자의 동의없이 지상권 또는 임차권을 소멸하게 하는 행위를 하지 못한다.
제352조(질권설정자의 권리처분제한) 질권설정자는 질권자의 동의없이 질권의 목적된 권리를 소멸하게 하거나 질권자의 이익을 해하는 변경을 할 수 없다.

위의 조문들을 공부할 때도 말씀드렸습니다만, 이런 유형의 조문은 권리자의 이익을 해치는 것을 방지하기 위해 존재하는 것입니다.

예를 들어 저당권자가 전세권을 목적으로 하여 담보를 걸고 돈을 빌려줬는데, 전세권자가 마음대로 전세권을 소멸시켜 버리게 된다면 저당권자는 담보가 없어지게 되어 불안한 위치에 처하게 되겠지요.

따라서 제371조제2항에 따라 저당권 설정자는 전세권 또는 지상권을 함부로 포기하거나, 설정계약을 해지해 버리거나 하는 행위를 하여서는 안됩니다. 하려면 저당권자의 동의가 있어야 한다는 것입니다. 만약 동의 없이 이러한 행위를 해버린 경우라면, (그 행위 자체가 바로 무효가 되는 것은 아니지만) 적어도 저당권자에게는 대항할 수 없게 될 것입니다.

오늘은 지상권이나 전세권을 목적으로 하는 저당권에 대해 공부하였습니다. 그런데, 사실 부동산, 지상권, 전세권 외에 또 저당권의 목적으로 할 수 있는 것들이 현실적으로 존재합니다. 왜 그건 공부안 했느냐, 왜냐하면 그게 민법에는 없기 때문입니다.

예를 들어 광업권이나 어업권, 댐 사용권 등의 권리는 각각의 특별법(「광업법」이나 「수산업법」 등)에 근거 조문이 있고, 이러한 조문에서는 대놓고 저당권의 목적이 된다고 적혀 있는 것은 아니지만 해당 권리가 저당권의 목적이 될 수 있다는 것을 전제로 서술하고 있습니다. 민법에서 규정한 것 외에도 저당권의 목적이 될 수 있는 권리들이 있다는 것 정도만 기억하시면 될 것 같습니다.

수산업법

제26조(어업권의 경매) ① 제31조제2항, 제35조제2호부터 제5호까지 또는 제35조제6호(제34조제1항제8호나 제9호에 해당하는 경우에만 해당한다)에 따라 어업의 면허를 취소한 경우 그 어업권의 저당권자로 등록된 자는 제36조에 따른 통지를 받은 다음 날부터 계산하기 시작하여 30일 이내에 어업권의 경매를 신청할 수 있다.

내일은 다른 법률에 의한 저당권에 대해 살펴보겠습니다. 드디어 물권법의 마지막 조문입니다.

*참고문헌

김준호, 「민법강의(제23판)」, 법문사, 2017, 908면.

김용덕 편집대표, 「주석민법 물권4(제5판)」, 한국사법행정학회, 2019, 289-291면(오민석).

박동진, 「물권법강의(제2판)」, 법문사, 2022, 362면.

제372조(타법률에 의한 저당권)

본장의 규정은 다른 법률에 의하여 설정된 저당권에 준용한다.

드디어 물권법의 마지막에 도달하였습니다. 오늘은 제372조입니다. 본장의 규정은 다른 법률에 의하여 설정된 저당권에 준용한다고 하는데요, 이것은 무슨 의미일까요?

예전에 몇 번 잠깐 말씀드린 적이 있었는데, 저당권은 민법에만 규정되어 있는 것은 아닙니다. 물론 민법에 중요한 일반적인 규정들이 다수 적혀 있기는 하지만, 다른 법률에서도 저당권에 대해 규정하고는 있습니다.

예를 들어 「입목에 관한 법률」에서는 입목은 부동산으로 보고 저당권의 목적으로 할 수 있다는 근거가 있습니다. 입목의 경우 입목등록이 있고 또 입목등기가 있는데, 등록은 시·군·구에서 만드는 입목등록원부에 자신의 입목을 기재하는 것이고, 등기는 입목등록원부에 올라간 후에 부동산으로 정식 등기하는 것을 말합니다. 자세한 내용은 인터넷에서 검색하여 보시길 추천드립니다.

입목에 관한 법률

제3조(입목의 독립성) ① 입목은 부동산으로 본다.

② 입목의 소유자는 토지와 분리하여 입목을 양도하거나 저당권의 목적으로 할 수 있다.

③ 토지소유권 또는 지상권 처분의 효력은 입목에 미치지 아니한다.
제4조(저당권의 효력) ① 입목을 목적으로 하는 저당권의 효력은 입목을 베어 낸 경우에 그 토지로부터 분리된 수목에도 미친다.
② 저당권자는 채권의 기한이 되기 전이라도 제1항의 분리된 수목을 경매할 수 있다. 다만, 그 매각대금을 공탁하여야 한다.
③ 수목의 소유자는 상당한 담보를 공탁하고 제2항에 따른 경매의 면제를 신청할 수 있다.

그리고 또 다른 예로 「자동차 등 특정저당 저당법」은 등록의 대상이 되는 건설기계, 소형선박, 자동차, 항공기, 경량항공기를 특별한 동산으로 보아, 원칙적으로는 동산이지만 저당권의 목적물로 할 수 있다는 것을 명시하고 있습니다.

왜 이렇게 다루는지는 민법총칙 편에서 이미 말씀드렸습니다만, 아주 단순하게 말씀드리자면 말 그대로 이런 동산들은 아주 크기 때문입니다. 이걸 동산질권의 목적으로 한다고 해보세요. 이 거대한 동산을 점유이전해주고, 그렇게 해야 하는데 그게 오히려 더 불편하고요, 차라리 점유를 요건으로 하지 아니하는 저당권의 목적으로 하는 것이 채권자 입장에서도 더 편합니다. 즉, 교환가치뿐 아니라 사용가치도 큰 특별한 동산에 대해서는 이를 부동산에 준하는 것으로 보아 채무자가 동산을 계속 점유하면서도 담보로 제공할 수 있도록 규율하고 있는 것입니다(오민석, 2019).

자동차 등 특정저당 저당법

제3조(저당권의 목적물) 다음 각 호의 특정동산은 저당권의 목적물로 할 수 있다.
1.「건설기계관리법」에 따라 등록된 건설기계
2.「선박등기법」이 적용되지 아니하는 다음 각 목의 선박(이하 "소형선박"이라 한다)
가. 「선박법」제1조의2제2항의 소형선박 중 같은 법 제26조 각 호의 선박을 제외한 선박
나. 「어선법」제2조제1호 각 목의 어선 중 총톤수 20톤 미만의 어선
다. 「수상레저안전법」제30조에 따라 등록된 동력수상레저기구3.「자동차관리법」에 따라 등록된 자동차
4. 「항공안전법」에 따라 등록된 항공기 및 경량항공기

위에서 말씀드린 법률 외에도 공장저당, 공장재단저당, 선박저당 등이 있는데 상세한 내용은 법률정보센터 등을 참고하여 주시면 감사하겠습니다. 여기서는 그냥 민법 외에 다른 법률에도 저당권이 많이 규정되어 있구나, 그런데 민법의 규정이 그런 저당권에도 준용되는구나, 이 정도로만 알고 지나가셔도 무방합니다.

지금까지 물권법을 공부하느라 고생이 많으셨습니다. 물권법이 크고 방대해서 처음 접할 때에는 짜증나는 부분도 많지만, 또 읽다 보면 나름의 맛(?)이 있는 파트이니 꼼꼼히 조문을 읽어 보시길 추천드립니다.

마무리를 하려고 다시 돌이켜 보니 아쉽고 부족한 부분이 눈에 띕니다. 다음 채권법으로 돌아올 때에는 보다 나아진 모습이 될 것을 약속드리며, 물권법 파트는 여기서 끝마치도록 하겠습니다.

*참고문헌

김용덕 편집대표, 「주석민법 물권4(제5판)」, 한국사법행정학회, 2019, 323면(오민석).